백만장자의 결혼 상대 백작 부인을 납치하라
그리고 성 안에 숨겨진 보물을 찾아라

Ili kaptis Elzan!
백작 부인의 납치

클로드 피롱(Claude Piron) 지음

백작 부인의 납치(에·한 대역)

인　쇄 : 2022년 11월 11일 초판 1쇄
발　행 : 2022년 11월 18일 초판 1쇄
지은이 : 클로드 피롱(Claude Piron)
옮긴이 : 오태영(Mateno)
표지디자인 : 노혜지
펴낸이 : 오태영(Mateno)
출판사 : 진달래
신고 번호 : 제25100-2020-000085호
신고 일자 : 2020.10.29
주　소 : 서울시 구로구 부일로 985, 101호
전　화 : 02-2688-1561
팩　스 : 0504-200-1561
이메일 : 5morning@naver.com
인쇄소 : TECH D & P(마포구)

값 : 15,000원
ISBN : 979-11-91643-75-6(03890)

백만장자의 결혼 상대 백작 부인을 납치하라
그리고 성 안에 숨겨진 보물을 찾아라

Ili kaptis Elzan!
백작 부인의 납치

클로드 피롱(Claude Piron) 지음

오태영 옮김

진달래 출판사

원서

Ili kaptis Elzan!

Romano en facila esperanto

Johán Valano

HTML-eldono kreita laŭ la libroformaj eldonoj:

Ⓟ Chapecó: Fonto, 1985.

Ⓟ Chapecó: Fonto, 2000.

Kembriĝo: Edmundo, 2013-09-16.

Al Piĝi,

kun humila danko,

J. V.

번역자의 말

『백작 부인의 납치』는 범죄 추리 모험 희극 소설입니다.

이 책을 구매하신 모든 분께 감사드립니다.

에스페란토를 배운 초보자를 위해 만들어진 책입니다.

아주 재미있게 구성이 되어 있습니다.

처음에 범죄의 냄새가 나고 은밀한 결혼 작전이 나오고 여기에 더해 마취제를 사용한 납치 사건이 벌어집니다.

그런데 사건이 꼬여 백작 부인이 아닌 다른 사람이 납치됩니다.

그런데 백작 부인이 사는 성에 귀중한 보물을 보러 교황이 온다고 합니다. 이제 이 보물을 훔치려는 계획이 잡히고 사건은 새로운 국면을 맞이하지만 해결이 싱겁게 됩니다.

나중에 백만장자는 백작 부인과 결혼하고 납치된 여자는 사건을 계획한 백만장자의 비서와 결혼합니다.

결국 애정 소설이기도 합니다.

다채로운 사건이 계속 이어지고 추리가 더해져 문제가 풀리다가도 엉뚱한 일이 터져 웃긴 결과가 나오고 읽는 내내 책에서 손을 놓을 수 없을 정도로 흥미진진합니다.

에스페란토계의 선배이신 박강문 선생님이 개인 블로그에 해 놓으신 번역 자료를 바탕으로 제가 전체 번역을 했습니다. 잘못된 부분은 독자 여러분의 질정을 받겠습니다.

초보자를 위해 교육에 도움이 되도록 읽기 쉬운 책으로 만들었기에 단어와 문법이 부담스럽지 않아 에스페란토를 배우는 데 유익합니다.

오태영(mateno, 진달래 출판사 대표)

목차(Enhavo)

Ĉapitro 1

"La polico kaptis Paŭlon kaj Sofian," la viro diris en la telefonon.

"Kion?" sonis responde la malproksima voĉo, nekredeme.

"La polico kaptis Paŭlon kaj Sofian," la viro ripetis. "La kunveno antaŭvidita por morgaŭ vespere ne povos okazi. Sciigu al Karlo, li scios, al kiu transdoni la informon."

"Diable! Mi tion faros tuj. Kion pli?"

"Nenion. Atendu, ĝis mi rekontaktos vin. Ĝis!"

"Ĝis!"

La viro eliris el la trinkejo, kie li telefonis, kaj malaperis en la nokton. Alta fortulo, kies vestoj aŭ agmaniero neniel konigis liajn policajn funkciojn, diskrete ekpaŝis malantaŭ li. Li ridetis. Li sentis, ke vere komenciĝas la fino de tiu Movado por Vera Eŭropo, kiu respondecis pri tiom da mortoj, ekde la unua bombo en la flughaveno ĝis la hieraŭa ĉe la sinagogo de strato Kaloĉaja.

Bedaŭrinde nur, ke li ne povis scii, al kiu la sekvata viro ĵus telefonis.

제1장　술집에서 거는 전화

"**파울로**와 **소피아**가 경찰에 붙잡혔어."
남자가 전화로 말했다.
"뭐라고?"
멀리서 오는 대답에서 못 믿겠다는 듯한 기분이 느껴졌다.
"파울로와 소피아가 경찰에 붙잡혔어."
남자는 되풀이해서 말했다.
"내일 저녁의 예정된 모임은 할 수 없겠어. **카를로**에게 알려, 소식을 누구에게 전달해야 할지 그는 알 거야."
"염병헐! 바로 해야겠네. 더 말할 것 있어?"
"없어. 기다려. 내가 자넬 만날 때까지. 그때 봐!"
"그때 보자!"
남자는 전화 건 술집에서 나가, 밤거리로 사라졌다. 키 크고 체격이 좋지만, 복장이나 행동방식으로는 정치적인 성향을 알 수 없는 남자가 조심스럽게 그의 뒤를 따라 붙었다. 그는 미소 지었다. 그는 '참유럽운동'의 종말이 시작되고 있음을 느꼈다. 항구의 첫 폭파에서부터 어제 칼로차야 거리의 유대교 회당 폭파까지, 많은 사람이 죽은 데 대해 그 운동은 책임이 있었다.
유감스럽게도, 뒤따른 남자는 그가 방금 누구에게 전화했는지 알 수 없었다.

Ĉapitro 2

"La problemo pri vi, Adriano, estas, ke vi neniam edziĝis."

Adriano Pipelbom malkontentis. Ekde kiam lia fratino Galina elparolis tiujn vortojn la antaŭan vesperon, ili turniĝis kaj turniĝis en lia kapo, kvazaŭ decidinte ne lasi al li minuteton da paco.

Kial do la diroj de lia fratino tiel forte efikis al li? Li estis 50-jara nun, li estis riĉa, li alte taksis la potencon, kiun mono havigas. Kial do li, Adriano Pipelbom, unu el la plej sukcesaj industriistoj en la lando, lasis sian 58-jaran fratinon paroli al li, kvazaŭ al knabeto? De kie venis la nekredebla aŭtoritato, kiun Galina havis super li?

Malbonhumore li veturis nun direkte al la hospitalo, kaj la silento de lia ŝoforo ne helpis lin gajigi.

"La problemo pri vi, Adriano, estas, ke vi neniam edziĝis."

Li eligis profundan elspiron.

Povus ŝajni strange, ke la fama Pipelbom, mastro de granda industrio, unu el la plej riĉaj kaj potencaj homoj en la mondo, ĝenerale sentis sin antaŭ virinoj kiel infaneto, almenaŭ se temis pri io pli intima ol diskutoj rilataj al la ekonomia aŭ politika situacio.

Sed tiel estis.

Personaj rilatoj kun virino estis por li timigaj. Li ĉiam diris al si, ke li estas unu el tiuj homoj, kiuj spertas nur unufoje en la vivo veran paran amon. Tian amon li spertis, kiam li estis dekkvinjara. Sed la knabino, kiu estis la trezora objekto de liaj amaj sentoj, forlasis lin, edziniĝis, kaj malaperis el lia vivo. Eble li neniam resaniĝis de la sufero, kiun ŝi tiel kaŭzis.

Eble pro tio li neniam plu intimiĝis kun virino.

Kaj nun, lia fratino Galina revekis en li malnovajn dezirojn, kiujn li imagis mortintaj. Ĉu ne estas stulte malhavi dum la tuta vivo la dolĉan proksimecon de amema belulino? Ĉu eblus, ke dum tiuj longaj jaroj da soleco, li fakte – sed senkonscie – deziris ion alian?

"Ludoviko, ĉu viaopinie mi devus edziĝi?" li demandis la ŝoforon.

Ĉe alia veturigisto tia demando eble estigus salteton de ekmiro, sed ne ĉe Ludoviko. La ŝoforo de s-ro Pipelbom sekvis sian vivvojon simile al la Rolls-Royce, kiun li nun irigis:

trankvile, facile, digne, kvazaŭ malhelpoj kaj ĝenoj ne povus ekzisti.

Kun eta-eta rideto li respondis:

"Estus ekster mia rolo doni al vi konsilojn, sinjoro."

"Jes, jes. Kompreneble. Mi devus scii, ke vi trovos belan vortigon por digne elturni vin el la demando. Sed diru al mi, kion vi opinius, se mi informus vin, ke jen mi baldaŭ edziĝos?"

"Se vi permesas al mi respondi sincere, sinjoro, mi dirus, ke mia reago dependus de la sinjorino, kiu havus la feliĉon kunigi sian vivon al la via."

Dum longa minuto, Pipelbom restis silenta.

"Mia fratino Galina ŝatus, ke mi edziĝu," li diris.

Ludoviko plu ŝoforis senvorte.

"Ĉu vi aŭdis min? Kion vi opinias pri la ideo de Galina?"

"Ne estas mia rolo priparoli la anojn de via familio, sinjoro, sed tamen, ĉar vi esprimis la deziron koni mian penson, mi vortigos ĝin jene: la vivo montris, ke s-ino Galina ĝenerale estas prava en siaj decidoj. Ŝi estas nepre fidinda persono."

"Ĝuste. Ŝi ĉiam estas prava. Tial mi ne mirus, se ankaŭ ĉi-foje ŝi pravus. Mi pli kaj pli sentas, ke mi devos alkutimiĝi al la ideo, ke edzino mankas al mi. Mi devos fari la necesajn aranĝojn por ripari tiun mankon. Vi havas edzinon, ĉu ne, Ludoviko?"

"Jes, sinjoro."

"Ĉu ŝi igis vin feliĉa?"

"Mi feliĉas, sinjoro, sed mi ne dirus, ke ŝi igis min feliĉa. Estus pli ĝuste diri, ke mi igis min feliĉa kun ŝi, kaj ŝi igis sin feliĉa kun mi. Ni estas tre bonŝancaj."

"Vi igis vin feliĉa kun ŝi kaj ŝi kun vi! Diable! Malsimpla diraĵo, sed pensiga. Mi ŝatas ĝin.

Mi estas homo, kiu faras ĉion mem – memfarita homo, kiel oni diras – kaj ne plaĉis al mi la ideo, ke mia feliĉo dependu de iu alia, sed se tiel estas... Nu, nu, nu, Ludoviko, via filozofio agas problem-solve. Estas decidite: mi edziĝos."

* * *

Al Adriano Pipelbom hospitaloj tre malplaĉis. Estis tro da koridoroj, tro da pordoj, tro da iroj kaj venoj kun vestoj tro blankaj. Kaj lia nazo preferus senti ion alian ol tiun kuracilan odoron.

Li do ege bedaŭris sian nunan situacion: li bezonis informojn, kiujn nur Johano, lia sekretario, povis doni; li bezonis ilin tuj, tiel ke poŝto ne uzeblus: kaj ili estis tiel sekretaj, ke uzi telefonon estus preni sur sin konsiderindan riskon.

Kompatinda Pipelbom! Li aĉigis sian humoron vizite al hospitalo, por ke la informiĝo ĉe juna Johano restu plene sekreta, sed kiom ajn li provis mallaŭti, ĉiuj iliaj vortoj aŭdeblis en la apuda ĉambro, kiu servis kiel ejo por kuraciloj. Tiun kuracilejon oni faris antaŭ kelkaj monatoj uzante por ĝi parton de la ĉambro, en kiu Johano nun kuŝis, kaj la muro estis aparte maldika. Kaj ĉar, hazarde, Johano estis nun sola en tiu tri-lita ĉambro, la industriisto opiniis, ke li eĉ ne bezonas flustri.

Lucia, la flegistino, kiu troviĝis en la kuracilejo, tute ne aŭskultis la industriajn sekretojn de sro Pipelbom, por ŝi sen-interesajn. Sed kelkaj vortoj de la riĉulo igis ŝin subite streĉi la atenton.

"Jes, Belpar," li diris, "Belpar estas la plej bona."

Sekvis kelkaj vortoj de la sekretario, kiujn Lucia ne sukcesis kompreni.

"Mi ne dubas," daŭrigis la industriisto, "ke vi plenumos tiun taskon plej kontentige, kiel kutime. Sed, mi petas vin, estu plej-plej diskreta. Mi ne povas allasi, ke oni sciu, ke la fama Adriano Pipelbom deziras edziĝi, kaj uzas tiucele la servojn de la fama edziĝ-agentejo Belpar."

Lucian la ama vivo de famuloj ĉiam interesis. Kiam ŝi, tuj poste, faris injekton al Nikolao Barinjo, la juna kemiisto en ĉambro 364, por kiu ŝia koro pli kaj pli ame batis, ŝi ne povis subpremi la emon ĉion rakonti al li:

"Imagu! S-ro Pipelbom, la fama riĉulo, deziras edziĝi! Li venis viziti sian sekretarion, kaj mi, tute nevole, hazarde aŭdis ilin interparoli. Li donis al sia sekretario la taskon prezenti lian edziĝdeziron al agentejo Belpar!"

"Pipelbom, ĉu vere? Mi konas tiun ulon. Parte dank' al mi li riĉiĝis. Mi ne agis saĝe, kaj perdis pro li belegan okazon riĉiĝi mem. Nu, nu, tiel iras la vivo. Interese, ke tia homo, kiu sukcesis sur ĉiuj kampoj, ne kapablas trovi mem edzinon, kaj devas tion fari pere de agentejo!"

"Ne al vi tio okazus, ĉu?" Lucia diris kun rideto.

"Ne," li simple respondis, kun tono tro serioza.

Ŝi rigardis lin, atendante ion plian, sed Nikolao fermis la okulojn.

"Mi sentas min laca," li diris.

Ŝi direktis al li amoplenajn okulojn kaj diskrete paŝis for. En la koridoro ŝi renkontis sesdekjarecan virinon, kiu sendube venis hospitalen por viziti konaton. Ke estis Galina, la fratino de la fama Pipelbom, ŝi tute ne povis scii. Nek kion ŝi tie faris.

제2장   피펠봄과 누나의 대화

"아드리아노, 너는 장가를 안 가서 문제야."
아드리아노 피펠봄은 불만이었다. 누나 **갈리나**가 그 말들을 전
날 저녁에 할 때부터 그 말들이 마치 그에게 잠시도 평안을 허
용하지 않으려 작정한 것처럼 머릿속에서 계속 맴돌았다.
그러면 왜 누나의 말이 그에게 그렇듯 강하게 작용할까? 그는
이제 쉰 살이고, 돈 많고, 재력의 영향력을 높이 평가받고 있었
다. 나라 안에서 가장 성공적인 기업인의 하나인 아드리아노 피
펠봄, 왜 그가 쉰여덟 살인 누나가 애한테처럼 말하게 내버려
둘까? 그를 능가하는, 믿기 힘든 갈리나의 권위는 어디서 올까?
기분이 상한 그는 차를 타고 병원으로 직행했는데, 운전사가 아
무 말이 없어 그의 기분 전환에 도움이 되지 않았다.
"아드리아노, 너는 장가를 안 가서 문제야."
그는 숨을 깊이 내쉬었다.
세상에서 가장 부유하고 권세 있는 사람 가운데 하나인 대기업
주, 유명한 피펠봄이, 적어도 경제나 정치 상황과 관련된 토론보
다도 더 사적인 일에 대한 주제가 나오면, 일반적으로 여자 앞
에서 어린아이처럼 주눅 든다는 것이 이상하게 보인다. 하지만,
그렇다.
여자와의 개인적인 관계를 그는 겁냈다. 그는 자신이 진정한 사
랑을 일생에 단 한 번 경험한 사람 가운데 하나라고 스스로에게
늘 말하고는 했다. 그런 사랑을 그는 열다섯 살 때 했다. 그러나
사랑의 귀중한 대상이던 소녀는 그를 버리고 시집가서 그의 인

생에서 사라졌다. 아마 그는 그녀가 끼친 괴로움에서 결코 회복되지 못한 듯했다. 아마 그 때문에 그 뒤로 그는 여자와 가까워지지 못하는 듯했다.

그런데 이제 그의 누나 갈리나는 그가 죽었다고 생각하고 있는 옛 욕망을 그의 마음에 다시 깨우고 있었다. 사랑스러운 미인과 달콤한 친교를 평생 포기하는 것은 어리석지 않은가? 오랜 독신 세월 동안 그는 확실히 그러나 의식하지는 못하면서 다른 무언가를 원했을 수도 있지 않은가?

"루도비코, 자네 생각으로는 내가 결혼해야 하겠나?"

그는 운전사에게 물었다.

딴 운전사에게 그런 질문은 놀라 펄쩍 뛸 일이겠지만, 루도비코에게는 그렇지 않았다. 피펠봄의 운전사는 그가 몰고 있는 롤스로이스와 비슷하게 인생행로를 따라갔다. 방해도 거리낌도 있을 수 없는 듯, 조용하게, 편하게, 품격 있게.

아주 엷은 미소로 그는 대답했다.

"조언 드리는 것은 제 할 일이 아닌 듯합니다. 사장님."

"그래, 그래. 물론이야. 질문에서 기품 있게 빠져 나가는 멋진 자네 말솜씨를 내가 알았어야 했는데. 그래도 말해 봐. 내가 곧 결혼할 거라고 자네에게 알려 준다면 자네는 어떤 의견인지 ?"

"허락하신다면 성실하게 답변 드리겠습니다, 사장님. 제 반응은 여자분께 달려 있습니다. 그분은 자기 삶을 사장님과 합칠 수 있는 행운을 지니고 계시니까요."

몇 분 동안 피펠봄은 말없이 있었다.

"내 누님 갈리나는 내가 결혼하기를 바라고 있어."

그가 말했다.

루도비코는 말없이 운전을 계속했다.

"내 말 듣고 있어? 갈리나의 생각에 대해 자네 의견은 어떤가?"

"사장님 가족 구성원에 대해 말하는 것은 제 일이 아닙니다만, 제 생각을 알고 싶다고 하시니까, 이렇게 말씀드릴까 합니다. 갈리나님은 자신의 결정들이 대개 옳았음을 실생활에서 보여 주셨습니다. 그분은 꼭 믿을 만한 분이십니다."

"맞아. 그분은 언제나 옳지. 그래서 이번에도 그분이 옳다고 해도 놀라진 않을 거야. 난 배우자가 필요하다는 생각에 익숙해져야 할 거라고 점점 느끼고 있어. 난 그 결함을 메꿀 필요한 조치를 해야겠어. 자네는 아내가 있지, 루도비코?"

"예, 사장님."

"아내가 자네를 행복하게 해 주나?"

"저는 행복합니다, 사장님. 그렇지만 아내가 저를 행복하게 한다고는 말씀드리고 싶지 않습니다. 제가 저를 아내와 함께 행복하게 하고, 아내가 자신을 저와 함께 행복하게 한다고 말씀드리는 것이 더 정확합니다. 저희는 아주 잘 살고 있습니다."

"자네는 자네를 아내와 함께, 아내는 자신을 자네와 함께 행복하게 한다! 아이고! 말이 복잡하긴 한데 생각하게 하네. 난 그 말이 좋군. 나는 모든 걸 손수 하지 - 사람들이 말하듯 혼자 하는 사람이야. 내 행복이 남에게 달려 있다는 생각은 마음에 안 들어. 그런데 그렇다면……. 자, 자, 자, 루도비코, 자네 철학은 문제 해결에 힘을 쓰는군. 결정됐어. 난 결혼할 거야."

* * *

아드리아노 피펠봄에게 병원들은 아주 마음에 안 들었다. 복도가 너무 많고 문이 너무 많고 너무 하얀 옷을 입고 너무 많이 왔다 갔다 했다. 그리고 그의 코는 치료약 냄새 아닌 냄새를 더 좋아하는 것 같다.

그는 그래서 현재 자신의 상황이 아주 언짢았다. 그는 비서 요하노만이 줄 수 있는 정보가 필요했다. 그는 그 정보들이 당장 필요하기에 우편을 이용할 수 없고, 비밀스러운 것이어서 전화 사용은 꽤 위험을 무릅써야 할 것 같았다.

불쌍한 피펠봄! 그는 병원을 가보고 나서 기분을 잡쳤다. 젊은 요하노에게 정보가 수집되어 있는 것은 충분히 비밀이 지켜지지만, 그가 아무리 작은 목소리로 말하려 해도 모든 말을 의료기기 설치 장소로 쓰이는 옆방에서 들을 수 있기 때문이었다. 그 의료기기실은 몇 달 전에 방 일부로 사용되었으며 이제 거기에 요하노가 누워있는데 벽이 유달리 얇았다. 그리고 어쩌다가 요하노가 그 삼인실에 혼자 있어서, 말소리를 낮춰 속삭일 필요조차 없다는 것이 사업가 피펠봄의 생각이었다.

간호사 루지아는 의료기기실에서 봤는데 피펠봄 씨의 사업 비밀에 관심도 없어 전혀 귀 기울이지 않았다. 그런데 부자의 말 몇 마디를 듣고 나서 곧 관심을 기울였다.

"응, 벨파르." 그는 말했다.

"벨파르가 제일 좋지."

비서의 말 몇 마디가 이어졌지만 루지아는 이해하지 못했다.

"난 믿어."

피펠봄은 말을 계속했다. 자네가 평소처럼 아주 만족스럽게 임무를 완수할 거야. 하지만 아주 아주 조심하라고 부탁하네. 나는 유명한 아드리아노 피펠봄이 결혼하고 싶어 하고 그 목적으로 유명한 벨파르 중매 회사의 서비스를 이용한다는 사실이 세상에 알려지도록 내버려 두고 싶지 않아."

유명인사의 애정 생활에 루지아는 늘 관심이 많았다. 그 여자는 금방 뒤 364호실의 젊은 화학기사 니콜라오 바리뇨에게 주사를 놓을 때, 심장이 점점 더 사랑스럽게 고동쳐서, 충동을 참지 못하고 모든 것을 그에게 말했다.

"상상해 봐요! 소문난 부자 피펠봄씨가 결혼하고 싶어 하다니! 그분이 비서를 만나러 와서 저는 전혀 뜻하지 않게 우연히 둘의 대화를 들었어요 그분은 비서에게 중매 신청서를 벨파르 회사에 제출하라고 임무를 주었답니다."

"피펠봄, 정말이야! 내가 그 자를 알지. 부자 된 게 내 덕도 일부 있어. 난 똑똑하지 않아서 그 자 때문에 부자 될 아주 좋은 기회를 잃었어. 자, 자, 인생은 그런 거야. 그처럼 모든 분야에서 성공한 사람이 스스로 신붓감을 찾지 못하고 중매회사를 통해야 한다는 게 재미있군!"

"당신은 그렇지 않나요?"

루지아는 웃으며 말했다.

"아냐."

그는 간단히 대답했지만 어조는 너무 심각했다.

여자는 좀 더 뭔가를 기대하며 그를 바라보았지만 니콜라오는 눈을 감았다.

"피곤하군." 그가 말했다.

여자는 그에게 사랑 가득한 눈길을 보내고 조심스럽게 걸어 나갔다. 복도에서 그는 예순 살쯤 된 여자를 만났는데, 그 할머니는 분명 아는 사람을 만나러 병원에 온 듯했다. 유명한 피펠봄의 누나 갈리나인 것을 여자는 전혀 알 수 없었다. 거기서 뭘 했는지도 몰랐다.

Ĉapitro 3

Je dek kvin kilometroj for de la hospitalo, kie disvolviĝis la okazaĵoj ĵus priskribitaj, elstaras belega, malnova kastelo. Ĝi sidas sur altaĵo, kun admirinda vido al la rivero, kaj ĝiaj dikaj ŝtonmuroj aspektas kapablaj sukcese kontraŭstari ĉiujn alsaltojn de la tempo kaj de homoj militemaj. Al la vojaĝantoj, kiuj rigardas ĝin de la vojo laŭrivera, same kiel al la lokaj familioj, kiuj konas ĝin de jarcentoj, ĝi elvokas nur forton kaj riĉecon: ĝi staras tie kiel deklaro de firmeco.

Ve! La vero estas tute alia, kaj precize tion ĵus klarigis grafino Montokalva al sia «ĉefservisto», kiel ŝi nomas la viron, kiu servas ŝin, kvankam li ĉefas super neniu, se escepti, eble, la propran edzinon.

"Jes, Cipriano," ŝi diris malĝoje, "tiel statas la aferoj. Mi ne kaŝis al vi la veron, kiel ajn malĝojiga ĝi estas. Mi ne povos resti ĉi tie. Mi devos forlasi ĉi tiun belegan domon, ĉi tiun lokon plaĉoplenan, kaj trovi ion ie, kie mia nun malmulta mono ebligos al mi plu vivi. Kredu, ke mi bedaŭros ĝin, kaj vin, Cipriano, kaj ankaŭ vian karan familion..."

"Forlasi!" flustris Cipriano, kaj lia esprimo montris, ke sub tiu sola vorto kaŝiĝis la perditeco de homo, kies vivo ĵus tute disrompiĝis.

Per granda volstreĉo li sukcesis peti precizigon:

"Se via grafina moŝto permesos, ĉu mi povas demandi, kiom da tempo – laŭ tio, kion eblas antaŭvidi – la grafinaj monrimedoj eltenos? Kiom da tempo, laŭ via opinio, sinjorino grafino, mia edzino kaj mi povos resti ĉi tie, je via servo?"

"Nu, ni eltenos tute certe, ĝis venos la papo, ĉu ne? Mi jam petis monhelpon de la aŭtoritatoj tiurilate. Se ili volas, ke la papo, dum sia vojaĝo nialanda, vizitu ĉi tiun lokon kaj povu propramane tuŝi la zonon de Sankta Gaspardeto, kiun antaŭ jarcentoj ricevis la prapatroj de mia karmemora edzo, ili certe konsentos havigi al mi monhelpon, por ke la kastelo iĝu dignaspekta. Sed post tio..., post tio, mia kara Cipriano, mi dubas, ĉu ni plu eltenos pli ol tri monatojn."

Cipriano estis alta viro, kaj lia korpa aspekto, kun la elstara ventro kaj la ĉiam paca vizaĝo, ĝenerale naskis en rigardanto nur la specon de respekto, kiun oni kutime sentas al fortaj trankviluloj. Cipriano iel estis kiel la kastelo, kie li servis: nemovebla, nerompebla, ricevinta de la naturo la havindan povon superforti ĉiujn kaj ĉion. Almenaŭ ŝajne.

Rigardante lin nun, grafino Montokalva, unuafoje en sia vivo, vidis en li homon kompatindan, kiu subite maljuniĝis kaj perdis la povon rebati al novaĵo, kiu unubate disfaligis lin.

"Se estas nenio plu je via servo, via grafina moŝto, mi..."

"Nenio plu, Cipriano, vi povas foriri. Mi..." Ŝi interrompis sin, rigardante lin rekte en la okulojn.

"Mi petas vian pardonon," ŝi fine diris, mallaŭte.

"Via grafina moŝto!"

"Ne! Mi petas, ne kontraŭdiru. Prizorgi vin estis mia devo, ĉu ne? Mi bedaŭras, ke mi ne sukcesis. Tiaj estas la tempoj, Cipriano. Ni povas nur akcepti ilin tiaj, kiaj ili estas. Ni provu trovi en ni kuraĝon, ni ĝin bezonos. Espereble ni havas da ĝi sufiĉe, ankoraŭ, je nia aĝo."

"Jes, via grafina moŝto. Bonan vesperon, via grafina moŝto."

Kaj, provante elmontri kiel eble malplej sian batitecon, Cipriano eliris kun movoj iom necertaj, jes ja, sed tamen digne.

* * *

Ĉe la enirejo de la grafina bieno, tute proksime al la kastelo, staras samaĝa ŝtona domo. En ĝi estis aranĝita plaĉa apartamento, kie loĝis Cipriano, lia edzino Elvira kaj – de tempo al tempo, jen longe, jen mallonge – ilia filino Elza.

En la sidĉambro kun malnovaj, brile puraj mebloj, kie la servista paro nun troviĝis, la atmosfero estis peza.

"La vivo estis agrabla ĉi tie," Elvira diris.

"Agrabla," eĥis Cipriano.

"La grafino estas iom stranga, kelkfoje, sed al ŝiaj strangaĵoj ni kutimiĝis," ŝi daŭrigis.

"Ni kutimiĝis," sonis eĥe la edza voĉo.

"La kastelo estas granda, sed ŝi vivas nur en eta parto de ĝi, kaj ne zorgas, ĉu la resto estas pura aŭ ne."

"Ne zorgas."

"Mi ne adaptiĝos al alia mastrino. Aŭ mastro."

"Ne. Ni ne adaptiĝos."

Elvira prenis paperan poŝtukon, brue nazpurigis en ĝin, kaj ploris. Ŝi estis same dika kiel la edzo, sed pli malalta; vidiĝis, ke ŝia ronda, ruĝeca vizaĝo pli kutimas ridi ol esprimi malfeliĉon.

Malfermiĝis la pordo, kaj knabino eble 21-jara envenis ridetante.

"Bonan...! Ej! Kio okazas al vi? Vi aspektas, kvazaŭ la tero ĵus rompiĝis sub viaj piedoj..."

"Ĝi rompiĝis," eĥis Cipriano, kvazaŭ ne plu kapabla pensi. Ŝajnis, ke li eĉ ne rekonas la propran filinon.

Lia edzino klarigis la teruran situacion. Je ilia aĝo,

en la nuna ekonomia situacio, retrovi laboron ne estos facile. Sed eĉ se ili retrovus, la simpla fakto devi forlasi ĉi tiun lokon, al kiu ilin ligis tiom da jaroj da ĉeesto, da laboro, da travivaĵoj, rompis al ili la koron ĝis apenaŭ elportebla sufero.

Ankaŭ la juna vizaĝo de Elza mallumiĝis. Ŝi laboris en la urbo, tute sendepende, kiel kudristino, kaj ŝi sukcesis aranĝi sian vivon tre kontentige, kun sufiĉe da libereco. Ŝi tute ne bezonis monan helpon de la gepatroj, sed ŝi amis ilin, tre ŝatis ilin viziti neatendite, kiel hodiaŭ, kaj, cetere, same subite foriri. Ilia malfeliĉo efikis al ŝi korŝire.

"Kaj mi venis ĉi tien por rakonti ion ridigan..." ŝi diris, elegante profundan ĝemspiron.

"Rakontu do," ameme diris la patrino. "Eble tio helpos nin pensi pri io alia."

"Temas pri io, kion mi trovis interesa, rakontinda al vi. Mi ĵus vizitis Nikolaon en la hospitalo, kaj li diris al mi, ke, laŭ interparolo nevole aŭdita de flegistino, s-ro Pipelbom serĉas edzinon pere de agentejo Belpar!"

"Serĉas edzinon, ĉu?" Ŝajnis, ke subite Cipriano vekiĝis el sia senpensa stato. "Eble tie kuŝas nia solvo."

"Solvo?", "Kion vi volas diri?" samtempe parolis la du virinoj.

"Eble mi ne estas realisma. Mi pensis, ke se ni sukcesus aranĝi – per tiu agentejo – ke Elza edziniĝu al li, ni ne plu havus problemojn. Li estas tiel riĉa, ke li eĉ ne scias, en kiom da bankoj kuŝas lia mono, kaj..."

"Ĉiaokaze, eĉ se li petos min, mi ne edziniĝos al tiu maljunulo," la filino interrompis, decideme.

"Li ne estas maljuna. Mi dubas, ĉu li aĝas pli ol 50 jarojn," rebatis la patro.

"Eĉ se li aĝus nur dudek kaj estus pli bela ol... ol... ol..., nu, tre bela, mi malkonsentus. Mi amas Nikolaon, kaj kunvivos kun neniu alia."

"Via kemiisto estas bona knabo, sed ne temas pri amo nun, nur pri maniero helpi al la kompatindaj gepatroj."

"Ĉu vi perdis la saĝon, Cipriano?" la edzino intervenis. "Pripensu momenteton. Vi neniam elportus, ke via filino malfeliĉas la tutan vivon nur por nia komforto. Ŝajnas, ke la grafina informo batis al vi la kapon kaj vin stultigis."

Ĉiuj tri restis dum longa minuto silentaj.

"Kaj tamen eble estas solvo," diris Elza tre malrapide, apartigante ĉiun vorton. La gepatroj rigardis ŝin. Ŝia vizaĝo estis luma denove, kiel kutime ĉe tiu ĝenerale gaja knabino.

"Solvo, ĉu vere?"

"Jes. Se li edziĝus al la grafino..."

Ŝi fermis la okulojn. Kvazaŭ reve ŝi memoris la interparolon, kiun ŝi havis kun Galina, la fratino de Adriano Pipelbom, kiam ili renkontiĝis en la hospitalo. El la malmultaj paroloj, kiujn ili tiuokaze interŝanĝis, naskiĝis bela revo. Sed ĉu ĝi povos realiĝi? La gepatroj silente, sindemande, plu rigardis ŝin.

* * *

«Bela», pensis Cipriano rigardante la junulinon, kiu staris trans la skribotablo, «sed laŭ tute alia maniero ol mia Elza».

Li pravis. Elza havis iom angulecan vizaĝon, tre nigrajn harojn, kaj haŭton bruniĝeman, dum ĉi tiu estis blonda kun ronda, roza vizaĝo. Elza havis longajn krurojn, kaj longan nazon. Ĉi tiu estis ne pli ol mez-alta, kaj ŝia nazeto direktiĝis ĉielen.

Cipriano hezitis. Ĉu estis saĝe peti tiel junan personon preni sur sin la delikatan taskon, por kiu li venis?

"Kiel mi povas servi vin?" ŝi diris per muzika voĉo.

Lia dubemo tiel klare legiĝis sur lia vizaĝo, ke ŝi ekridis.

"Vi ne fidas min, ĉu? Vi trovas min tro juna por

direkti edziĝ-agentejon, tute certe. Permesu, ke mi prezentu min. Mi nomiĝas Diana Belpar. Foje amiko diris al mi: «Via familia nomo sonas kiel nomo de edziĝ-agentejo». Mi pensis: ĉu tio ne estus signo de l' destino? Mi provu.

Nu, mi provis kaj sukcesis. Belpar estas nun la edziĝ-agentejo plej bonfama en la urbo, ĉu ne? Eble ĝuste ĉar mi estas juna, mi aliris la demandon laŭ nova vojo, kun modernaj principoj. Nu, diru al mi, sinjoro, kiel vi nomiĝas, kaj kia estus por vi la ideala vivkunulino."

"Ne mi deziras edziĝi, s-ino Belpar. Mi persone jam havas edzinon, ne idealan, sed tute bonan por viro, kiu ne povus esti ideala edzo. Ne. Mi ne venas por mi. Kaj ĝuste tial mia tasko estas tre delikata."

"Pri kio do temas?"

"La afero devas resti absolute sekreta. Se iu ajn eksciis... Estus katastrofo."

"Kompreneble, kompreneble. Sed vi povas fidi min. Mia agentejo estas bonfama ankaŭ pro tio, ke nenio ĉi tie dirita diskoniĝas ekstere."

"Nu, mi ne scias, sed tamen, mi prenos sur min la riskon. Mia mastrino, kiu deziras edziniĝi, estas grafino Montokalva."

Se Diana Belpar sentis miron, ŝi ĝin bonege kaŝis. Moviĝis eĉ ne muskoleto de ŝia vizaĝo.

Kun la sinteno de bona oficistino, ŝi simple notis la nomon.

"Ŝia grafina moŝto estas treege riĉa," malhonestis Cipriano, "kaj ŝi nature timas, ke neseriozuloj provos edziĝe kapti ŝian monon. Tial speciale gravas sekreteco. Kaj tial ŝi konsideros nur proponojn de viroj vere riĉaj, ĉar nur tio garantios, ke ne la mono ilin altiras al ŝi."

"Evidente. Kiom aĝa estas la grafino?"

"Kvardeknaŭjara. Ŝi havas la kastelon, kiun vi certe konas, en belega loko, kaj unu el ŝiaj kondiĉoj estas, ke la edzo konsentu vivi tie kun ŝi."

"Ĉu ŝi jam edziniĝis antaŭe?"

"Jes, dufoje. La unua edzo forlasis ŝin, la dua mortis."

"Kian viron ŝi preferus renkonti?"

"Kiel mi diris, la unua kondiĉo estas, ke li estu riĉa. Sed ŝi deziras krome viron laboreman, kuraĝan, pli malpli samaĝan, viron, kiu sukcesis en sia profesio kaj tiel fakte elmontris sian valoron. Industriiston, ekzemple..."

"Jes, mi vidas."

"Sed estas aspekto tre delikata en ŝia decido, kaj sekve en mia tasko. Mi ne dubas, ke vi komprenos ŝian deziron: la alia persono devas ne scii, ke ŝi turnis sin al edziĝ-agentejo. Se diri la veron, ŝi tute ne ŝatas la ideon uzi viajn servojn. Ŝi tion akceptis nur, ĉar ŝi ne kredas je la eblo solvi sian problemon alimaniere, sed la ideo tre malplaĉas al ŝi. Ŝi hontas."

"Nu, jes, mi povas tion kompreni, sed... Kion mi povas fari? Mia rolo estas konigi unu al la alia personojn, kiuj aperas kapablaj ekami sin reciproke. Se mi ne povas sciigi al ŝi la nomon de eblaj vivkunuloj, kion mi povos fari?"

"Ĉu vi ne povus komuniki ilian nomon al mi? Ŝia grafina moŝto petis min peri plej diskrete.

Mi konas ŝin tre bone, kaj ŝi havas plenan fidon al mi. Mi povus viziti la koncernajn personojn, vidi mem, ĉu ili taŭgos... Ne estas ia ajn risko por vi: geedziĝo ne okazas, se unu el la koncernatoj ne diras «jes», kaj je sia aĝo, ŝia grafina moŝto scias, kion ŝi faras."

Diana rigardis Ciprianon tre longe. Sed la ideo, ke li parolas malvere, kaj ke la grafino nenion scias pri la afero, ne venis en ŝian kapon.

"Bone," ŝi fine diris. "Se iu prezentiĝos, kiu respondas al la deziroj de via grafino, mi ekrilatos kun vi."

제3장   몬토칼바 백작 부인

방금 설명한 사건이 발생한 병원에서 15km 떨어진 곳에 아름답고 오래된 성이 우뚝 서 있다. 그것은 강이 보이는 훌륭한 전망이 있는 언덕에 자리 잡고 있으며, 두꺼운 돌담은 시간과 호전적인 사람들의 모든 공격을 능히 저항할 수 있을 것 같다. 수세기 동안 그것을 알고 있는 주변 가족들에게 주는 것과 마찬가지로 강을 따라 길에서 그것을 바라보는 여행자에게도 그것은 강인함과 풍요로움을 불러일으켰다. 즉 단단함을 선포하듯 그렇게 서 있다.

아아! 진실은 완전히 다르며, 몬토칼바 백작 부인이 방금 자기 '집사'에게 그것을 바로 설명했다. 그 남자를 백작 부인은 그렇게 부르는데 그는 아마도 자신의 아내를 제외하고는 아무도 책임지지 않지만 백작 부인을 섬기고 있다.

"그래, 지프리아노"

그녀가 슬프게 말했다.

"일이 그렇게 되었어. 나는 당신에게 진실을 숨기지 않았어, 그것이 아무리 슬프더라도. 나는 여기에 머물 수 없어. 나는 이 아름다운 집, 즐거움으로 가득 찬 이곳을 떠나 지금의 적은 돈으로 살 수 있는 곳을 찾아야 해. 그것을 그리고 당신 지프리아노와 당신의 사랑하는 가족을 그리워하리라고 믿어."

"내버려 두세요!"

지프리아노가 속삭였을 때 그의 표정은 그 한 마디 속에 삶이 완전히 무너진 한 남자의 죽음이 숨겨져 있음을 보여주었다.

엄청난 의지력을 가지고 그는 해명을 요청했다.

"마님이 허락하신다면 미리 예측할 수 있는 범위 내에서 자금이 얼마나 오래 지속되는지 여쭤봐도 될까요? 마님 생각에 제 아내와 제가 언제까지 여기 남아 마님을 섬길 수 있을 것 같습니까?"

"글쎄, 우리는 교황이 올 때까지 확실히 버틸 거야, 그렇지? 나는 이미 이와 관련하여 당국에 재정 지원을 요청했어. 교황이 우리나라를 방문하는 동안 이곳을 방문하여 수세기 전에 사랑하는 내 남편의 조상이 물려받은 성 가스파르데토 지역을 손수 만질 수 있기를 당국이 바란다면, 그들은 분명히 우리에게 재정적인 도움을 주어 성이 품위 있게 보이도록 하는 데 동의할 거야. 하지만 그 후……. 그 후, 우리 지프리아노 집사, 우리가 3개월 이상 버틸 수 있을지 의문이야."

지프리아노는 키가 큰 사람이고, 두드러진 배와 항상 평화로운 얼굴을 가진 신체적 외모 때문에 일반적으로 강하면서도 조용한 사람들에게 느껴지는 일종의 존경심을 쳐다보는 사람이 갖게 마련이었다. 어떤 면에서 지프리아노는 그가 돌보는 성 같았다. 움직이지 않고, 깨지지 않으며, 자연적으로 모든 사람과 모든 것을 제압하는 데 필요한 힘이 주어졌다. 적어도 외관상으로는.

지금 그를 바라보고 있는 몬토칼바 백작 부인은, 갑자기 늙어서 한 방에 자신을 무너뜨린 소식에 반격할 힘을 잃은 한심한 남자를 살면서 그에게 처음 보았다.

"더 이상 마님이 할 수 있는 일이 없다면, 마님, 저는……."

"더 이상은 없어, 지프리아노, 당신은 떠날 수 있어. 나는……."

그녀는 그의 눈을 똑바로 쳐다보며 말을 끊었다.

"미안해."

마침내 그녀가 부드럽게 말했다.

"마님!"

"아니! 반대하지 마. 당신을 돌보는 게 내 의무였어, 그렇지? 그렇게 못해서 미안해. 그런 시대야, 지프리아노. 우리는 그것들을 있는 그대로 받아들일 수 있을 뿐이야. 우리 자신에게서 용기를 찾으려고 노력해야지. 용기가 필요할 거야. 우리 나이에도 여전히 충분하기를 바랄게."

"네, 마님. 안녕히 주무십시오, 마님."

그리고 그의 가슴이 뛰는 것을 최대한 안 보이려고, 지프리아노는 약간 흔들거리며 앞으로 나갔다. 그렇다. 그러나 여전히 위엄은 있다.

* * *

백작 부인 영지 입구에는 성에서 아주 가까운 곳에 같은 시대의 지어진 석조 가옥이 서 있다. 그 안에 쾌적한 아파트가 마련되었다. 지프리아노, 그의 아내 엘비라, 그리고 때때로, 혹은 길게 혹은 짧게 딸인 엘자가 거기서 살았다.

지금 하인 부부가 있는, 낡지만 빛나도록 깨끗한 가구가 비치된 거실의 분위기는 무거웠다.

엘비라는 "여기에서의 삶은 좋았어요." 라고 말했다.

"좋았지."

지프리아노가 따라했다.

"마님은 때때로 약간 이상하지만 우리는 거기 익숙해졌는데." 라고 그녀는 말했다.

"익숙해졌지."

남편의 목소리가 메아리쳤다.

"성은 크지만 마님은 아주 작은 공간에서만 살고 나머지는 깨끗한지 아닌지 신경도 쓰지 않았는데."

"신경도 안 썼지."

"나는 다른 여주인이나 주인에게 맞추지 않을 거야."

"아니. 우리는 맞추지 않을 거야."

엘비라는 종이 손수건을 집어 들고 코를 시끄럽게 풀고 울었다. 그녀는 남편만큼 뚱뚱했지만 키가 작았다. 그녀의 동그랗고 붉게 물든 얼굴은 불행을 표현하는 것보다 웃는 데 더 익숙하다는 것을 보여 주었다.

문이 열리고 대략 21살 정도의 소녀가 웃으며 들어왔다.

"안녕……. 여기요! 무슨 일이 있나요? 발아래 땅이 무너진 것 같군요……."

"무너졌어." 더 이상 생각할 수 없다는 듯이 지프리아노가 따라 했다. 자신의 딸도 알아보지 못하는 것 같았다.

그의 아내는 심각한 상황을 설명했다. 그들의 나이에 현재의 경제 상황에서 다시 일자리를 찾는 것은 쉽지 않을 것이다. 하지만 다시 찾는다고 해도 오랜 세월 살았고 일했고, 경험으로 묶인 이곳을 떠나야 한다는 단순한 사실이 견디기 힘든 고통에 이르기까지 그들의 마음을 아프게 했다.

젊은 엘자의 얼굴도 어두워졌다. 그녀는 도시에서 재봉사로 완전히 독립적으로 일했으며 충분한 자유와 함께 매우 만족스럽게 살았다. 그녀는 부모님의 재정적 도움이 필요하지 않았지만 부모님을 사랑했고 오늘처럼 갑자기 방문하고 더구나 갑자기 떠나는 것을 정말 좋아했다. 부모의 불행은 그녀에게 가슴 아픈 영향을 미쳤다.

"그리고 저는 재미있는 말을 하려고 여기에 왔어요."

그녀는 깊은 한숨을 내쉬며 말했다.

"그럼 말해봐."

엄마가 사랑스럽게 말했다.

"어쩌면 그것은 우리가 다른 것을 생각하는 데 도움이 될 거야."

"제가 흥미롭게 발견한, 말할 가치가 있는 것에 관한 것인데요. 방금 병원에 있는 니콜라오를 방문했어요. 그런데 간호사에게 엿들어서 내게 이야기해 주었는데 피펠봄 씨가 중매 회사 벨파르를 통해 아내를 찾고 있다고 하더군요."

"아내를 구한다고, 응?"

갑자기 지프리아노가 생각이 없는 상태에서 깨어난 것 같았다.

"어쩌면 거기에 우리의 해결책이 있을 거야."

"해결책이요?", "무슨 말씀이세요?"

두 여자가 동시에 말을 이었다.

"내가 현실적이지 못한 걸 수도 있어. 나는 우리가 그 중매회사를 통해 엘자가 그와 결혼하도록 주선할 수 있다면 더 이상 문제가 없을 것이라고 생각해. 그는 너무 부자여서 자기 돈이 얼마나 많은 은행에 묻혀 있는지도 모르고……."

"어쨌든 그가 나에게 요청해도 나는 그 노인과 결혼하지 않을 거예요."

딸이 단호하게 끼어들었다.

"그는 늙지 않았어. 그가 50세 이상인지도 의심스러워." 라고 아버지가 반박했다.

"그가 20살에 불과하더라도…예쁠지라도…보다… 저는 니콜라오를 사랑하고 다른 사람과 함께 살지 않을 거예요."

"네 화학자는 착한 아이지만 지금은 사랑이 아니라 가난한 부모를 돕는 방법일 뿐이야."

"정신이 나갔나요, 여보?" 아내가 끼어들었다.

"잠시 생각해보세요. 당신은 우리 딸이 우리 편하자고 평생 불행해지는 것을 결코 참을 수 없어요. 마님의 통보에 머리를 부딪혀 바보가 된 것 같군요."

셋이 모두 오래 말없이 있었다.

"그렇지만 해결할 수 있어요."

엘자가 아주 천천히 한 마디 한 마디 또박또박 말했다. 부모는 그녀를 바라보았다. 그녀의 얼굴은 그 나이의 명랑한 아가씨에게서 흔히 볼 수 있듯이 다시 빛났다.

"해결, 정말?"

"예. 그분이 백작 부인과 결혼한다면……."

그녀는 눈을 감았다. 마치 꿈꾸듯, 그녀는 아드리아노 피펠봄의 누나 갈리나를 병원에서 만났을 때 나눈 대화를 기억했다. 그때 그들이 나눈 짧은 대화에서 고운 꿈이 피어올랐다. 그런데 그것이 실현될 수 있을까? 어머니와 아버지는 궁금해서 말없이 딸을 바라보았다.

* * *

'예쁘다.' 지프리아노는 책상 너머에 앉아 있는 아가씨를 보면서 생각했다. '그런데 엘자와는 모든 면에서 다르군.'

그가 맞게 보았다. 엘자는 좀 모가 난 얼굴이고 머리카락이 아주 검고 피부가 갈색을 띠었는데, 이 여자는 금발이고 얼굴이 둥글고 분홍빛이었다. 엘자는 다리가 길고 코도 길었지만, 이 여자는 중간키도 안 되고 콧부리가 위로 들렸다.

지프리아노는 망설였다. 그가 미묘한 임무 때문에 왔는데 저토록 젊은 사람에게 부탁하는 것이 현명한가?

"어떻게 도와 드릴까요?"

그녀가 음악 같은 목소리로 말했다. 못미더워하는 것이 그의 얼굴에 뚜렷이 쓰여 있어서 그녀는 살짝 웃었다.

"저를 못미더워하시지요? 중매 회사를 운영하기에는 제가 너무 젊다고 보고 계시는 것이 아주 확실하군요. 제 소개를 하겠습니다. 저는 **디아나 벨파르**라고 합니다. 한번은 친구가 저한테 말했지요. '네 성씨는 중매 회사 이름처럼 들리는구나.'라고요. 저는 생각했어요. 그게 운명의 신호가 아닐까? 증명해 보이겠다. 자, 저는 증명해 보이고 성공했습니다. 벨파르는 이제 시내에서 가장 평판이 좋은 중매 회사 아닙니까? 제가 젊기 때문에 딱 맞는 것 같아요. 저는 현대적 원칙으로 새 길을 따라 고객 욕구에 다가갔습니다. 자, 저한테 말씀하세요. 성함이 어떻게 되시는지, 바라는 배우자 이상형이 있으신지."

"배우자를 원하는 건 제가 아닙니다, 벨파르 사장님. 저는 개인적으로 이미 아내가 있습니다. 이상적이지는 않지만 이상적인 남편감일 수 없는 남자에게는 전적으로 좋은 짝이지요. 아닙니다. 저를 위해 온 것이 아닙니다. 그래서 정말 제 임무는 아주 미묘합니다."

"도대체 무슨 이야기죠?"

"절대적으로 비밀을 지켜야 할 일입니다. 만약 누군가가 알게 된다면……. 큰일 납니다."

"물론, 물론입니다. 그렇지만, 저희를 믿으실 수 있습니다. 저희 회사는 여기서 나온 말을 밖에 퍼뜨리지 않기에 평판도 좋습니다."

"자, 그렇다 하더라도 제가 위험을 무릅쓸지 모릅니다. 제가 모시고 있는 여자 분이 결혼을 원하시는데, 그분은 **몬토칼바** 백작부인입니다."

디아나 벨파르가 놀랐다면, 그걸 잘도 감췄다. 얼굴의 작은 힘줄 하나도 움직이지 않았다. 우수한 사무원의 태도로 그녀는 이름만 적을 뿐이었다.

"백작 부인은 아주 부자십니다."

지프리아노는 정직하지 않았다.

"그분은 당연히 어중이떠중이가 돈을 노리고 결혼하려 들 것을 걱정하십니다. 그래서 특별히 비밀이 중요합니다. 그래서 그분은 정말로 부자인 남자의 구혼만을 고려하실 겁니다. 왜냐하면 그렇게 해야만 구혼자들이 돈에 끌리는 것이 아니라 그분께 끌려서 오도록 보장할 테니까요."

"맞습니다. 백작 부인의 연세는요?"

"마흔 아홉입니다. 그분은 사장님도 분명 아실만 한 아름다운 곳에 성채를 소유하고 있는데, 조건 가운데 하나는 남편이 거기서 함께 사는 데에 동의해야 한다는 것입니다."

"그분은 전에 결혼한 적이 있으신가요?"

"예, 두 번입니다. 첫 부군은 떠나갔고, 둘쨋분은 돌아가셨지요."

"어떤 남자를 만나고 싶어 하실까요?"

"말씀드렸듯이 첫째 조건은 부자여야 한다는 것입니다. 그러나 거기에다 자신의 직업에서 성공하고 자신의 가치를 아주 확실하게 보인, 부지런하고 용기 있고 나이가 엇비슷한 남자를 원하시는데, 예를 들면 사업가······."

"예, 압니다."

"그런데 그분의 결심에는 아주 미묘한 사정이 있고, 따라서 제 임무도 그렇습니다. 저는 사장님께서 그분이 바라시는 것을 틀림없이 이해한다고 생각합니다. 그분이 중매회사에 자신을 내놓은 것을 남들이 알면 안 됩니다. 진실을 말하자면, 그분은 귀사의 서비스를 이용하는 방안을 전혀 좋아하지 않으십니다. 다른 방식으로 문제를 해결할 수 없다고 믿으시기 때문에 받아들이시기는 했지만, 그 방안을 싫어하십니다. 부끄러워하십니다."

"아, 예, 이해할 수 있습니다만……. 제가 뭘 할 수 있을까요? 제 역할은 서로 사랑할 수 있게 될 사람들을 상대방에 알리는 것입니다. 반려자가 될 가능성이 있는 사람의 이름을 그분에게 알려 드릴 수 없다면, 제가 뭘 할 수 있을까요?"

"그들의 이름을 제게 알려 주실 수 없을까요? 백작 부인께서는 제게 매우 조심스럽게 중간 역할을 하라고 부탁하셨습니다. 저는 그분을 잘 알고 그분은 저를 매우 신뢰하고 계십니다. 저는 관계된 사람을 만나서 적절한 사람인지 보았으면 합니다……. 사장님께는 어떤 위험도 없습니다. 관계된 사람이 '예'라고 하지 않으면 결혼이 이루어지지 않거든요. 백작 부인은 연세가 있으니까 무엇을 해야 할지 알고 계십니다."

디아나는 지프리아노를 아주 오래 바라보았다. 그러나 그가 거짓되게 말하거나 백작 부인이 그 일을 모르고 있다는 생각은 들지 않았다.

"좋아요." 그녀가 마침내 말했다.

"백작 부인이 원하시는 대상이 나타나면, 제가 선생님께 알려 드리겠습니다."

Ĉapitro 4

La ĉielo bluis, la birdoj kantis, la aero varmetis agrable: ŝajnis, ke la tuta naturo decidis montri sin plej gaja por bonvenigi Johanon, la sekretarion de s-ro Pipelbom, kiam, la sekvantan matenon, li eliris el la hospitalo. Ankoraŭ iom pala, li ĝojis senti sin denove sana.

Li konis sian mastron, li sciis, ke kiam tiu ion decidis, li ne ŝanĝas sian ideon, sed efektivigas ĉion necesan por trafi la celon, kiun li difinis al si.

Tamen, ĉi-foje, Johano duone atendis, ke s-ro Pipelbom ne restos firma ĉe sia decido serĉi edzinon pere de agentejo. Verdire, li ne estis tute certa, ke la vizito de lia mastro okazis reale.

Ĉu ne lia malsaneca stato lin igis imagi ĝin? Mire do li aŭdis la riĉulon tuj informiĝi, ĉu li jam faris la necesajn aranĝojn.

"Sinjoro, mi ĵus eliris el la hospitalo, kaj al la oficejo tuj venis. Mi ne havis tempon. Ĉu vere vi deziras, ke...?"

"Kompreneble. Vi aŭdis min, ĉu ne?, kiam mi vizitis vin en tiu terura loko. Vi jam perdis tempon venante oficejen. Iru tuj!"

Johano rapidis for, sed — ĉar li estis singarda —

antaŭe petis s-ron Pipelbom subskribi paperon, en kiu estis dirite, ke Johano reprezentas la konatan industriiston en ties edzin-serĉado. Ne taŭgus, ke la homoj en la agentejo malfidu lin. Plena je memfido, kaj scivolema, li eniris en ties oficejon.

"Ĉu tiaj estaĵoj envere ekzistas?" demandis al si Diana Belpar, admirante la belulon, kiu ĵus envenis.

Johano ja estis alta junulo, brunhara, blu-okula, kun kortuŝa vizaĝo kaj rideto kapabla igi iun ajn knabinon sekvi lin ĝis la mezo de Saharo. Krome, io tre simpla en lia sinteno tuj sentigis, ke li ne rigardas sin supera al la homoj, kiuj ne havas la feliĉon esti same bele kunmetitaj. Kaj tiu simpleco igis lin eĉ pli altira.

"Ĉu tiaj estaĵoj ekzistas envere?" li pensis sammomente. Li antaŭe opiniis, ke tia beleco ekzistas nur en filmoj. Lia koro batis forte. Li sentis, ke jam li komencas enamiĝi al ŝi.

"Mi ne venas propranome," li ekparolis, apenaŭ elportante la kortuŝan povon de tiuj mirindaj okuloj. (Li sentis timete, ke li preskaŭ povus ruĝiĝi, maloftega okazaĵo ĉe li).

"Je kies nomo vi do venas?" muzikvoĉis la kisinda buŝo.

"Jen," Johano respondis, kaj li transdonis la rajtigilon subskribitan de s-ro Pipelbom. Diana Belpar ĝin legis atente.

"Mi estas la sekretario de s-ro Pipelbom," la junulo diris, tuj kiam ŝi finis la legadon, "kaj li petis min veni ĉi tien por prezenti lian deziron. Ĉar li estas tre vaste konata homo, mi opiniis, ke estus saĝe peti de li ion skribitan. Sen ĝi, vi eble imagus, ke temas pri ŝerco!"

"Efektive," Diana respondis.

Tiu dokumento senpezigis ŝin. Male al Cipriano, kiu disradiis seriozecon per la tuta sinteno, ĉi tiu agrabla junulo povus esti, ekzemple, studento fi-ŝercema.

"Kio precize estas lia deziro?" ŝi demandis.

"Li estas kvindekjara, tre riĉa. Li tiris neimageblan riĉon el diversaj produktoj, el kiuj unu el la plej novaj estas tabako sentabaka, pri kiu vi certe aŭdis, ĉu ne?"

"Jes. Tiu produkto ebligas al homoj fumi kun la sama plezuro, kvazaŭ estus tabako, sed sen ties malbonaj efikoj al la sano."

"Ĝuste. Nu, li estas tre riĉa, kaj nun volas edziĝi. Sed li ne deziras junulinon, kiu akceptus lin por la mono. Li esperas trovi pli malpli kvindekjaran virinon, sufiĉe monhavan, kapablan paroli interese pri plej malsamaj temoj, bonfartan, ŝatantan bone manĝi kaj trinki, kaj ankaŭ vojaĝi. Vi vidas. Li tute

- 42 -

ne zorgas pri tio, ĉu ŝi estas bela aŭ ne. Li bezonas kunulinon, kun kiu li povu vojaĝi kaj diskuti pri ĉio."

"Dankon, sinjoro. Vi donas al mi sufiĉe precizan bildon pri tio, kion via mastro deziras. Mi tre ĝojas: tio faciligos mian taskon. Ĉu mi kontaktu lin, aŭ vin, kiam mi povos sciigi la nomojn de interesaj eblulinoj?"

"Min, kompreneble. Li havas tre multe por fari kaj ne havas tempon por prizorgi mem la aferon. Li havas plenan fidon al mi, kaj scias, ke konante lin tre bone, mi prezentos al li nur personojn, kiuj vere respondas al lia deziro."

Dum la senvorta momento, kiu sekvis, Johano direktis al Diana sentoplenan rigardon.

"Mi... mi... mi ne dubas, ke vi sukcese aranĝos la aferon. Eeee..."

Ŝi estis notanta ion, sed lia subita sin-interrompo igis ŝin levi la okulojn al li.

"Ĉu s-ino, aŭ f-ino Belpar?" li demandis, iom sinĝene.

"Mi ne ŝatas tiujn vortojn, sed se vi volas scii, ĉu mi estas edzino, la respondo estas: ne. Mi eĉ ne havas vivkunulon. Mi estas libera, kaj tre alte taksas mian liberecon."

"Se vi estas libera, ĉu mi povas inviti vin al

vespermanĝo hodiaŭ?"

Ŝi ridetis.

"Mi ne estas tiel absolute libera. Ne. Por ĉi tiu vespero mi planis ion alian, sed mi estos libera morgaŭ, kaj tute konsentos uzi tiun liberan tempon kun vi, se taŭgos ankaŭ morgaŭ."

"Taŭgos. Kaj estos por mi granda ĝojo. Ĉu mi venu ĉi tien?"

"Ne. Mi iros al mia apartamento por igi min bela. Mi tie atendos vin je la... ĉu la oka? Jen mia adreso. Ej! Ne foriru," ŝi krietis, vidante lin ekstari kaj turni sin al la pordo. "La servoj de tiu ĉi agentejo ne estas senpagaj. Mi devas klarigi la monan aspekton de nia aranĝo, kaj la interkonsenton vi devos subskribi."

제4장 결혼 중매 회사

하늘은 푸르고 새들은 노래하고 대기는 상쾌하게 따뜻했다. 피펠봄 씨의 비서 요하노가 다음 날 아침 병원에서 나올 때, 모든 자연이 그를 환영하려 가장 기쁜 모습을 보이겠다고 작정한 듯했다. 아직 창백하기는 하지만 그는 다시 건강해진 것을 느껴 기뻤다.

그는 주인의 성격을 익히 알았으며, 사장이 무언인가를 결심할 때는 생각을 바꾸지 않고 스스로에게 정한 목표를 완수하기 위하여 필요한 모든 것을 실행한다는 것을 알고 있었다.

그렇지만 이번에 중매 회사를 통해 배우자를 찾겠다는 결정을 그의 사장이 굳게 지켜나갈지 반신반의했다. 솔직히 말하면, 그는 사장의 방문이 현실적으로 일어날지에 대해서는 전혀 확신하지 않고 있었다. 건강하지 않은 상태 때문에 내가 그렇게 생각하게 되었을까? 그래서 그가 필요한 조치를 이미 했는지를 그 부호가 묻는 것을 들으면서 놀랐다.

"사장님, 병원에서 이제 막 나와 사무실로 바로 갑니다. 시간이 없었습니다. 정말 사장님은 원하십니까?"

"물론이지. 내가 그 끔찍한 곳으로 자네를 보러 갔을 때 듣지 않았나? 자네는 이미 사무실 가기에도 시간이 없어. 바로 출발해!"

요하노는 서둘러 갔으나 -그는 신중했으므로- 먼저 피펠봄 씨에게 저명한 사업가의 중매 요청을 요하노가 대신한다고 쓴 서류를 써 놓으라고 부탁했다. 중매회사 사람이 그를 믿지 않으면

곤란할 것이었다. 자신감과 호기심을 지니고 그는 중매회사 사무실에 들어갔다.

"저런 인물이 정말 있을까?" 디아나 벨파르가 금방 들어온 미남에게 놀라면서 스스로에게 물었다.

요하노는 정말 키 크고 갈색 머리카락이고 푸른 눈이고 감동적인 얼굴이고 미소를 띠고 있어서 어떤 아가씨라도 사하라 한복판까지 따라가게 할 수 있었다. 게다가 그의 태도에는 무척 단순한 무엇인가가 있어, 함께 잘 어울릴 만한 행복을 지니지 못한 사람들에게 우쭐해 하지 않는 것으로 느껴지게 했다. 그 단순성은 그를 더 매력적이게까지 했다.

"정말 저런 인물이 있을까?"

그는 보는 순간에 생각했다. 그런 미모는 오직 영화에서만 존재한다고 전에 생각했다. 그의 심장이 강하게 뛰었다. 벌써 그녀를 사랑하게 되었다고 느꼈다.

"나는 내 이름으로 온 것이 아닙니다."

그는 그 멋진 눈에 감동하는 움직임을 간신히 참으면서 말을 꺼냈다. (얼굴이 완전히 빨개지는 부끄러움을 느꼈는데, 그에게는 매우 드문 일이었다.)

"누구 이름으로 오셨습니까?"

키스할 만한 입술로 음악을 연주하듯 말했다.

"여기요." 요하노가 대답했고 그는 피펠봄 씨가 서명한 위임장을 전달했다. 디아나 벨파르는 그것을 주의 깊게 읽었다.

"나는 피펠봄 씨의 비서입니다."

그녀가 읽기를 마치자 마자 그 청년이 말했다.

"사장님은 나에게 자신의 소원을 제시하기 위해 여기에 가라고 부탁했습니다. 워낙 유명한 분이기 때문에 무언가 써달라고 하는 게 현명하다고 생각했습니다. 그것이 없으면 농담이라고 생각할 수도 있습니다!"

"잘 하셨습니다." 디아나가 대답했다.

그 문서 때문에 그녀는 안심했다. 태도 전체로 진지함을 발산하는 지프리아노와 반대로 이 친절한 청년은 예를 들어 장난꾸러기 학생일 수도 있다.

"그의 소원은 정확히 무엇입니까?" 그녀가 물었다.

"사장님은 쉰 살에 매우 부자입니다. 다양한 제품에서 상상할 수 없는 부를 얻었습니다. 그 중 최신 제품 가운데 하나가 담배가 없는 담배입니다. 한 번쯤은 분명 들어보셨을 텐데요."

"예. 그 제품은 사람들이 담배와 같은 즐거움을 느끼면서도 건강에 나쁜 영향을 미치지 않도록 합니다."

"맞습니다. 글쎄, 사장님은 매우 부자이고 이제 결혼하고 싶어 합니다. 그러나 돈 때문에 그를 받아줄 젊은 여성을 원하지 않습니다. 돈이 충분하고 다양한 주제에 대해 흥미롭게 이야기할 수 있고 건강하며 잘 먹고 마시고 여행도 좋아하는 50세 전후의 여성을 찾기를 바라고 있습니다. 보십시오 사장님은 그녀가 예쁘든 말든 전혀 신경 쓰지 않습니다. 그는 여행하고 모든 것을 논의할 수 있는 동반자가 필요합니다."

"감사합니다. 손님. 사장님이 원하는 것에 대한 꽤 정확한 그림을 나에게 제공합니다. 내 작업이 더 쉬워질 거라 매우 기쁩니다. 흥미로운 가망성 있는 여성의 이름을 알려줄 수 있을 때 사장님께 연락해야 할까요, 아니면 손님에게 연락해야 할까요?"

"나에게요. 물론이죠 사장님은 할 일이 무척 많고 이번 일을 혼자 챙길 시간이 없습니다. 사장님은 나를 완전히 신뢰하고, 내가 사장님을 아주 잘 알기 때문에 사장님 마음에 정말로 일치하는 사람들만 소개 할 것이라는 것을 사장님은 알고 있습니다.”

말없는 순간에, 요하노는 디아나에게 감정이 가득 실린 시선을 보냈다.

“나……. 나……. 사장님이 문제를 성공적으로 처리할 것이라고 믿어 의심치 않습니다. 에이…….”

그녀는 무언가를 적고 있었는데 그의 갑작스럽게 끼어드는 말에 눈을 들어 그를 올려다보았다.

“벨파르 여사님인가요 아니면 아가씨인가요?”

그는 조금 수줍게 물었다.

“나는 그 말을 좋아하지 않지만 내가 부인인지 알고 싶다면 대답은 ‘아니요’ 입니다. 인생의 동반자도 없어요. 나는 자유롭고 나의 자유를 매우 높이 평가합니다.”

“자유롭다면 오늘 저녁 식사에 초대해도 될까요?”

그녀가 웃었다.

“나는 그리 완전히 자유롭지는 않습니다. 아니. 오늘 저녁에 나는 다른 계획이 있지만 내일은 자유로울 것이고 내일도 괜찮다면 그 자유 시간을 손님과 함께 사용하는 데 전적으로 동의할 것입니다.”

“괜찮습니다. 그리고 그것은 나에게 큰 기쁨이 될 것입니다. 여기로 올까요?”

“아니오. 나는 화장해야 하니까 내 아파트에 갈 겁니다. 거기서 손님을 기다리고 있을게요. 8시입니까? 제 주소입니다. 여기요! 가지 마세요.” 그가 일어서서 문 쪽으로 몸을 돌리는 것을 보고 그녀가 소리쳤다. “이 회사의 서비스는 무료가 아닙니다. 나는 우리 약정의 금전적 측면과 손님이 서명해야 할 계약에 대해 설명해야 합니다.”

Ĉapitro 5

En sia oficejo, plej moderne meblita, s-ro Pipelbom sidis en brakseĝo kaj pensis. Li rondrigardis sian oficejon. Li ŝatis ĝin. Ĝi estis vasta, riĉomontra kaj komforta: ĝi signis potencon.

Li pensis pri sia domo. Jes, li ŝatis ankaŭ sian domon, pro la samaj motivoj, kaj la tutan bienon ĉirkaŭ ĝi. Sed nun... Ekkolero kaptis lin. Tiuj diablaj socialistoj... Estas hontinde, fari tion al li. Forpreni eron el lia bieno, kaj do el lia potenco! Kiel eblas? Kaj tamen...! Li sciis, ke ili estos pli fortaj. Eĉ lia tuta mono ne povos ŝanĝi ilian nekredeblan decidon, en la nuna politika situacio. Edziĝo, siaflanke...

Dum, videble, li profunde pensadis, Johano lin rigardis, respekte atendanta. Li konis sian mastron. Li vidis, ke decido formiĝas en lia menso. Ne necesos multa tempo, por ke li konu ĝin.

"La respondo estas jesa," la mastro fine deklaris kun la solena voĉo de prezidanto leganta al la kunsidantoj la rezulton de voĉdono. "Mi edziĝos al grafino Montokalva." Kaj li silentis.

Li pensis al ŝi. Li neniam ŝin renkontis, sed pri ŝi li sciis multon: malbela, sed supere inteligenta virino, konata kiel ridema ĝojulino, ĉiam ema ŝerci kaj aliri la vivon el plej pozitiva angulo; kvankam fojfoje impresa, ŝi estis, laŭdire, fakte simpla persono, kun simpla rigardo al la mondo.

Nelonge, tamen, lia penso restis ĉe ŝi. Lia revo rapide transiris al ŝia kastelo. Vivi tie estus dono de la dioj. Hodiaŭ, kiam la nova plimulto en la urba konsilantaro — tiuj aĉaj socialistoj — decidis fari publikan promenejon laŭlonge de la rivero kaj tiel forŝteli parton de lia tiea bieno, li sentis pli kaj pli la emon iri vivi aliloke. Ĉu la kastelo de Montokalva ne estus plej mirinda vivloko? Ĉu ĝi ne estus eĉ pli bela signo de potenco ol lia nuna riĉula domo ĉe-rivera? Jes, ju pli li pensis pri ĝi, des pli la ideo plaĉis.

"Ĉu vi scias ion plian pri la afero?" li demandis sian sekretarion.

"Jes," tiu respondis, "ion, kio ne simpligas la situacion, bedaŭrinde. La grafino volas, ke oni absolute ne sciu, ke ŝi deziras edziniĝi pere de agentejo. Vi do devos aranĝi renkontiĝon tiamaniere, ke ĝi aspektu kiel eble plej natura, neplanita."

"Nu, tio estas via tasko, knabo. Vi aranĝu ion, por ke ni renkontiĝu. Restu al mi nur aliri ŝin kaj diri: «Grafino, mi deziras edziĝi al vi. Bonvolu subskribi la interkonsenton.»"

"Ne, ne, ne, ne, sinjoro. Ne eblus. Tiel vi fuŝus ĉion. Sed, se vi permesas la demandon, ĉu vi estas tute certa, ke vi volas edziĝi al ŝi? Ĉu vi ne deziras konsideri aliajn eblojn?"

"Ne. Mi decidis. Vi donis al mi ĉiujn informojn pri ŝi: ili konfirmas, kion mi aŭdis diversflanke. Ŝi estos mia edzino. La celo estas decidita. Nur restas difini la rimedojn."

Rapidvola s-ro Pipelbom ĉiam estis, kaj al tiu eco Johano delonge kutimiĝis, sed ke, ne konante virinon, lia mastro firme decidis ligi sian vivon al ŝi, nur post kelkminuta konsiderado, tio estis malfacile kredebla. Tamen, estis fakto: la tuta sinteno de s-ro Pipelbom, kaj lia vizaĝa esprimo, ne lasis pri tio eĉ plej malgrandan dubon.

"Mi diskutis la aferon kun la ĉefservisto de sinjorino la grafino," Johano plu parolis. "Li diris al mi, ke plej bone estus agi tiamaniere, ke ŝi renkontu vin en cirkonstancoj, en kiuj vi aperu kiel eble plej admirinda, t.e. en cirkonstancoj, kiuj veku amon de ŝi al vi."

"Ĉu la simpla fakto, ke la fama Adriano Pipelbom proponas al ŝi geedziĝi, ne sufiĉus, por ke ŝi jesu?"

"Ne. Virina menso ne reagas, kiel tiu de aĉetanto. Vi devas estigi amon en ŝi, aŭ vi malfeliĉos dum la tuta posta vivo."

"Verŝajne vi pravas. Sendube vi pravas. Jes, mi komprenas. Mi devas prezenti min al ŝi tiamaniere, ke ŝi ekamu min. Sed kiel fari? Kiel oni vekas amon en virino? Ĉu vi scias? Ĉu vi havas ideojn?"

Johano hezitis. Li preskaŭ komencis paroli, fakte jam malfermis la buŝon, sed tuj refermis ĝin.

"Mi vidas, ke vi havas ideon. Kial vi ne diras ĝin tuj?"

"Pardonu min, sinjoro. Mi konsideras, ĉu ĝi taŭgos aŭ ne. Nu, mi submetu ĝin al vi. Mi pensis jene: se oni savas homon el danĝero aŭ malagrabla situacio, la savito emas ami la savinton, ĉu ne?"

"Prave! Tute brila ideo! Ni provu estigi situacion, en kiu mi povos aperi kiel iu, kiu savis ŝin el terura danĝero. Tio certe efikos."

"Se ni tr..."

Pipelbom interrompis.

"Jen mi havas ideon: vi faligos ŝin en la riveron, kaj mi staros apude, kaj ĵetos min en la akvon, kaj ŝin savos."

"Ĝuste pri simila situacio mi pensis, sed via propono enhavas malfacilaĵon: ĉu vi vere kapablus savi ŝin?"

Pipelbom enpensiĝis dum minuto.

"Mi timas, ke ne," li fine diris. "Mi malbone naĝas. Kaj savi... nu, tio eble ne estas facila. Ni trovu ion alian."

Ambaŭ viroj profundiĝis en longa silenta pensado. Fruktodone.

* * *

"Diana!"

"Jes, Johano."

Ili sidis en agrabla restoracio, en angulo trankvila, kie oni forgesis la ĉeeston de aliaj manĝantoj. Li metis sian manon sur ŝian.

"Antaŭ kelkaj tagoj mi estis en hospitalo. Prizorgis min tie tre bela flegistino, Lucia. Mi opiniis, ke mi amas ŝin, sed..."

"Sed..."

"Sed nun ne plu. Estas evidente, ke mi povas ami nur vin."

"Estas evidente, ke la suno turniĝas ĉirkaŭ la tero, ĉu ne? Tion vi certe vidis mem, konstatis propraokule. Ĝi ekaperas el unu flanko kaj malaperas ĉe la alia flanko, ĉu ne?" ŝi rebatis, kun rido en la okuloj, sed buŝo serioza.

"Kion vi volas diri?"

"Ke kelkaj ideoj estas evidentaj, sed neĝustaj."

"Diana!"

"Nu, mi ne scias. Eble vi povas ami nur min.

Kompatindulo!"

"Kial mi estus kompatinda?"

"Ĉar mi trompos vian atendon."

"Ĉu vere?"

"Jes. Mi decidis resti sola dum la tuta vivo. Aŭ almenaŭ senvira."

"Tiu ideo estis bona antaŭ ol vi renkontis min. Sed nun ne plu. Evidente mi estas la viro por vi."

"Ne, ne, amiketo. Mi estas la Liber-ama Virino."

"Vi komedias. Vi ludas rolon. Sed profunde en vi, vi certe sentas, ke iutage vi decidos vivi kun viro: mi."

"Mi ne komedias. Mi vidis tro da malfeliĉaj paroj, kaj mi diris al vi la veron. Kaj tamen, se mi komedius, mi komedius tiel bone, ke vi tion tute ne rimarkus."

"Kial?"

"Plej simple: ĉar mi estas ano de amatora teatra grupo. Ĉu mi neniam tion diris al vi?

Kompreneble ne, ni apenaŭ konatiĝis."

"Sed vi havas la impreson, ke ni konas unu la alian jam de longe, kaj ke mi scias ĉion pri vi.

Tio estas signo. Signo, ke vi amos min. Vidu, vi perfidis vin mem. Vi ne estas tiel kapabla ludi teatre, kiel vi imagas."

"Ho jes, mi estas kapabla. Tio estas kontrolebla fakto, publike konata. Mi lernis ludi ĉiajn rolojn plej versimile."

La menso de Johano rapide laboris. Teatra grupo amatora! Tio helpus por realigi la... Kaj tio estus bona motivo por revidi ŝin kaj vidigi al ŝi, kiel malsaĝa ŝi estas en sia sinteno pri viroj, aŭ almenaŭ pri La-Viro-Por-Ŝi.

"Teatra grupo, ĉu?" li diris. "Interese. Aŭskultu. Ĉu vi opinias, ke viaj samgrupanoj akceptus partopreni en iu ludo kun mi?"

Kaj per plej mallaŭta voĉo li klarigis la planon.

제5장   백만장자의 결혼 희망

가장 현대적으로 꾸며진 사무실에서 피펠봄 씨는 안락의자에 앉아 생각했다. 그는 사무실을 둘러보았다. 그는 그것을 좋아했다. 그것은 넓고, 부와 안락함을 보여주고 권력을 의미했다.

그는 자기 집에 대해 생각했다. 예, 그는 같은 이유로 자신의 집과 주변의 농장을 좋아했다. 하지만 지금은……. 분노가 그를 사로잡았다. 그 사악한 사회주의자들……. 그에게 이런 짓을 하는 것은 부끄러운 일이다. 그의 농장에서, 따라서 그의 권력에서 일부를 빼앗기 위해! 그게 어떻게 가능해? 그리고 다만……! 그는 그들이 더 강할 것이라는 것을 알았다. 현재의 정치적 상황에서 그의 모든 돈조차도 그들의 믿을 수 없는 결정을 바꿀 수는 없을 것이다. 결혼, 그 나름대로…….

분명히 그가 깊은 생각에 잠겨 있는 동안, 요하노는 정중하게 기다리면서 그를 바라보았다. 그는 사장을 알았다. 그는 사장이 마음속으로 결정하는 것을 보았다. 그가 그것을 아는 데는 오랜 시간이 걸리지 않을 것이다.

사장은 마침내 참석자들에게 투표 결과를 읽는 대통령의 엄숙한 목소리로 "대답은 그렇다" 라고 선언했다.

"나는 몬토칼바 백작 부인과 결혼할 것이다."

그리고 그는 침묵했다.

그는 그녀를 생각했다. 그는 그녀를 한 번도 만난 적이 없었지만 그녀를 많이 알았다. 못생겼지만 매우 지적인 여성이고, 잘 웃고 즐거워하는 여성으로 알려졌고, 항상 농담을 하고 가장 궁정적인 각도에서 삶에 접근하는 경향이 있었다. 때론 인상적이기는 했지만 사실 그녀는 단순한 세계관을 가진 단순한 사람이었다고 한다.

그러나 짧은 시간 동안 그는 그녀를 계속 생각했다. 그는 공상을 그녀의 성으로 빠르게 옮겼다. 그곳에 사는 것은 신의 선물이 될 것이다. 오늘날 시의회의 새로운 다수파, 즉 그 못된 사회주의자들이 강을 따라 길게 공공 산책로를 만들면서 그곳에서 자기 농장 일부를 강제로 가져가기로 결정했을 때, 그는 점점 더 다른 곳으로 가고 싶은 충동을 느꼈다. 몬토칼바 성은 놀랄 만큼 가장 살기 좋은 곳이 아닐까? 강가에 있는 그의 현재 부잣집보다 훨씬 더 아름다운 권력의 징표가 아닐까? 그래, 생각하면 할수록 그런 계획이 마음에 들었다.

"그 일에 관해 더 알고 있는 것이 있나?" 그는 비서에게 물었다.

"예." 라고 그는 대답했다.

"유감스럽게도 상황을 단순화하지 않는 것입니다. 백작 부인은 자신이 중매 회사를 통해 결혼하기를 원한다는 사실을 아무도 모르게 하고 싶어 합니다. 그래서 최대한 자연스럽게, 계획에 없던 방식으로 만남을 주선해야 합니다."

"글쎄, 그게 네 일이야, 애송이야. 너는 우리가 만날 무언가를 주선해. 남은 것은 내가 그녀에게 다가가 이렇게 말하는 것뿐이야. 《백작 부인, 나는 당신과 결혼하고 싶습니다. 계약서에 서명하십시오》"

"아니요, 아니요, 아니요, 사장님. 불가능합니다. 그렇게 하면 모든 것이 엉망이 될 것입니다. 그러나 제가 질문을 드려도 된다면 그분과 결혼하고 싶은 것이 확실합니까? 다른 분을 고려할 의향이 없으신가요?"

"아니. 나는 결정했어. 너는 그녀 정보를 모두 내게 주었어. 내가 다양한 측면에서 듣고 그 정보들을 확인했어. 그녀는 내 아내가 될 거야. 목표가 결정되었어. 남은 것은 어떤 수단을 사용하는 것뿐이야."

의욕이 있는 피펠봄 씨는 항상 그랬고 요하노는 이미 그런 자질에 익숙해진 지 오래지만, 사장은 여자를 알지 못하고 단호하게 자신의 목숨을 그녀에게 묶기로 결정했다. 오직 몇 분 정도 숙고한 뒤에. 믿기 어렵지만 그것은 사실이었다. 피펠봄 씨의 전체적인 태도와 얼굴 표정은 그것에 관해 조금도 의심하지 않았다.

요하노는 계속해서 "저는 백작 부인의 집사와 그 문제에 대해 논의했습니다." 라고 말했다.

"그는 이런 식으로 행동하는 것이 가장 좋다고 말했고, 사장님이 가능한 한 훌륭하게 보일 수 있는 상황 즉 사장님께 대해 부인의 사랑을 불러일으키는 상황에서 백작 부인이 사장님을 만나야 한다고 말했습니다."

"그 유명한 아드리아노 피펠봄이 그녀에게 프러포즈했다는 단순한 사실만으로도 그녀는 예스라고 대답하기에 충분하지 않을까?"

"아닙니다. 여자의 마음은 구매자처럼 반응하지 않습니다. 그녀에게 사랑을 심어주어야 합니다. 그렇지 않으면 평생 불행할 것입니다."

"아마 자네 말이 맞아. 자네가 옳다는 것은 의심의 여지가 없어. 잘 이해했어. 그녀가 나와 사랑에 빠질 수 있도록 나는 그녀에게 나를 표현해야 해. 하지만 어떻게 할까? 어떻게 여자의 사랑을 깨우지? 아나? 생각이 있나?"

요하노는 머뭇거렸다. 그는 거의 말을 하려고, 실제로 이미 입을 열었지만 즉시 다물었다.

"자네에게 생각이 있는 것 같군. 왜 지금 말 안 해?"

"용서해 주십시오. 적당할까 아닐까 고민합니다. 자, 제출하겠습니다. 저는 이런 생각이 들었습니다. 위험이나 불쾌한 상황에서 사람을 구하면 구원받은 사람들은 구원해준 사람을 사랑하는 경향이 있지 않습니까?"

"맞아! 완전 기발한 생각이야! 그녀를 끔찍한 위험에서 구할 사람으로 내가 나타날 수 있는 상황을 만들어 봐. 분명 효과가 있을 거야" 라고 말했다.

"만약 우리가……."

피펠봄이 끼어들었다.

"여기에 생각이 있어. 자네가 그녀를 강에 떨어뜨리고, 나는 옆에 서 있다가 물에 몸을 던져 그녀를 구하는 거야."

"비슷한 상황을 생각하고 있었는데, 사장님의 제안에 어려움이 있습니다. 사장님은 정말로 백작 부인을 구할 수 있습니까?"

피펠봄은 잠시 생각했다.

그는 마침내 말했다.

"못 할까봐 두려워. 나는 수영을 잘 못 해. 그리고 구하는…….
글쎄, 쉽지 않을 거야. 다른 걸 찾아보자."

두 사람은 오랫동안 묵묵히 생각에 잠겨 있었다. 유익하도록.

* * *

"디아나!"

"네, 요하노."

그들은 다른 식사를 하는 사람들의 존재를 잊은 조용한 구석의

쾌적한 식당에 앉았다. 그는 그녀에게 손을 얹었다.

"며칠 전 병원에 입원했습니다. 거기서 아주 예쁜 간호사 루지아가 저를 돌봐주었습니다. 나는 그녀를 사랑한다고 생각했지만……."

"하지만……."

"하지만 지금은 아닙니다. 당신만을 사랑할 수 있다는 것은 분명합니다."

"태양이 지구 주위를 돈다는 것은 분명하지 않습니까? 당신은 당신 자신의 눈으로 깨닫고 그것을 보았을 것입니다. 한 쪽에서 나타났다가 다른 쪽에서 사라지지 않습니까?"

그녀는 눈에 미소를 띠고 진지한 입으로 대답했다.

"무슨 뜻이에요?"

"일부 생각은 분명하지만 올바르지 않습니다."

"디아나!"

"글쎄, 잘 모르겠어요. 어쩌면 당신은 나를 사랑할 수 있습니다. 불쌍한 사람!"

"내가 왜 불쌍해야 합니까?"

"당신 기대를 속일 테니까요."

"진짜로요?"

"예. 나는 평생 혼자 살기로 결정했습니다. 아니면 적어도 남자 없이."

"나를 만나기 전에는 그 생각이 좋았습니다. 하지만 이제 더는 아닙니다. 분명히 나는 당신을 위한 남자입니다."

"아니, 아니, 친구여. 나는 자유를 사랑하는 여자입니다."

"당신은 희극을 합니다. 당신은 역할을 합니다. 하지만 내면 깊숙한 곳에서 언젠가는 남자 즉 나와 함께 살기로 결정하게 될 것이라고 분명히 느낍니다."

"나는 희극을 하지 않습니다. 나는 불행한 쌍을 너무 많이 보았고, 당신에게 진실을 말했습니다. 그래도 내가 희극을 했다면 당신이 전혀 눈치 채지 못할 정도로 희극을 잘했다는 겁니다."

"왜요?"

"아주 간단합니다. 제가 아마추어 극단 회원이니까요. 제가 말씀 드린 적이 없던가요? 물론 없었네요, 우리가 겨우 이제 알게 되었으니까."

"그런데 우리가 오래 전부터 서로를 알고 있으며 제가 당신에 대해 모든 것을 알고 있는 듯한 인상을 당신이 풍깁니다. 그건 징줍니다. 당신이 나를 사랑할 거라는 징조 보십시오, 당신은 스스로를 배신했습니다. 당신은 당신이 상상하는 만큼 그리 연기를 잘 할 수 있지 않습니다."

"아, 예, 저는 능력이 있어요. 그것은 통제 가능한 사실이며 공개적으로 알려져 있어요. 저는 모든 역을 가장 비슷하게 연기하는 것을 배웠습니다."

요하노의 마음은 빠르게 작동했다. 아마추어 극단이라! 그게 현실화하는 데에 도움이 되었으면……. 그리고 그게 그녀를 다시 만나게 하는 데에 그리고 남자 또는 적어도 '그녀를 위한 남자'에 대한 그녀의 태도가 얼마나 어리석은지 보여 주는 데에 좋은 계기가 되었으면 하고 바랐다.

"극단이라고요?" 그는 말했다.

"재미있어요. 들어 보십시오. 당신의 극단원들이 나와 함께 어떤 연극에 참여하는 것을 받아들였으면 하는데 당신의 의견은 어떻습니까?"

그리고 그는 아주 작은 음성으로 계획을 설명했다.

Ĉapitro 6

Oftege, kiam ŝi estis infano, Elza revis, ke ŝi estas la
grafino. Strange, se konsideri, ke ŝi havis la freŝecon
de l' junaĝo, dum grafino Montokalva estis fama pro
sia malbeleco: misturnita nazo, tro vasta buŝo en
vizaĝo tro longa kaj haroj rifuzantaj ordiĝi kunformis
kapon senharmonian («ĉevalecan», kelkaj diris) kaj la
vireca korpo kun la tro fortaj ŝultroj ne helpis
forpreni ĉe vidanto la penson, ke kiam Naturo faris
ŝin, ĝi fuŝis sian laboron.

Sed por Elza la grafino estis iu tute speciala. Ŝi
havis kastelon, dignecon, potencon, kaj la tono, kiun
uzis la patro por paroli pri ŝi – «grafina moŝto»! –
ĉiam pensigis pri mistera, kvazaŭ pra-devena
supereco. Krome, ŝi havis ĉevalon.

Ĉiumatene je la sepa, la grafino surmetis specialajn
rajdajn vestojn kaj surĉevalis promene, ĉiam sur la
samaj vojoj. Sur sia ĉevalo, kiel bela, kiel potenca ŝi
aperis!

Ekde la infaneco, Elza, kiu pli malpli scipovis rajdi,
revis pri la belaj rajdovestoj de l' grafino, kaj pri
ties supereca sinteno dum la ĉeval-promenado
matena. Se foje, eĉ nur unufoje, ŝi povus ludi ŝian
rolon...

Kaj jen la mirinda okazo prezentiĝis.

Kiam Nikolao, ŝia amata kemiisto, singene petis ŝiajn ideojn pri la eblo provi en reala situacio la substancon, super kiu li laboris jam de longe, kun la espero ĝin vendi al la ŝtata spiona servo, kiu − laŭ la konfidencoj de amiko − tre deziris havi ion similan, ŝi tuj sciis, al kia praktika celo ĝi povos aplikiĝi. Temis ja pri substanco, kiu, en malgranda kvanto, igis bonhumora, sed samtempe malhelpis la menson efike funkcii, kaj kiu, en difinita, pli granda kvanto, estis dormigilo kun apartaj karakterizoj.

Nun, estis kelkaj minutoj antaŭ la sepa matene. Elza staris en la dormĉambro de la grafino kaj rigardis kun forte batanta koro ties profundegan dormon. La substanco de Nikolao belege efikis. Tute trankvile, Elza iris al la granda ŝranko, kie multaj rajdovestoj pendis. Ŝi elektis malrapide, sin vestis kaj admiris sin en la alta spegulo. Diri, ke tiuj vestoj perfekte taŭgis, estus paroli malvere, sed ne tiu detaleto fuŝis ŝian plezuron.

La plezuro iĝis eĉ pli granda, kiam ŝi rimarkis la nazumon de la grafino kaj unu el ties perukoj, kiu tie troviĝis sur sia subtenilo. Subpremi la deziron ilin uzi postulus superhoman volforton, kaj Elza ne estis superhoma. Kun silenta gajeco ŝi surmetis tiujn plibeligilojn.

Bedaŭrinde, la peruko ne bone teniĝis. Sed en la ŝranko estis almenaŭ kvin aliaj! Tujtuj! Ek!

Okazu kompleta grafiniĝo! Unu el tiuj perukoj montriĝis perfekta.

Kiam Elza rigardis sian bildon en la spegulo, ŝi malfacile sin detenis de brua rid-eksplodo. Ŝi sentis sin tute grafina.

Kun larĝa rideto ŝi eliris el la ĉambro kaj paŝis ĉevalejen.

La tuta naturo reciproke ridetis. Neniam la ĉielo tiel bluis, neniam tiel arte kantis la birdoj, neniam la arboj tiel amike signis bonvenigon.

Elza ridis al si tutkore. Endormigi la grafinon per la nikolaa drogo estis infanlude facile, tio

montriĝis nur simpla, ĝojiga ŝerco. Kaj realigi je la aĝo de 21 jaroj la deziron plej forte sentatan dum la tuta infaneco! Kio pli ol tio povus doni senton de perfekta, plaĉa revplenumiĝo? Ŝi rajdis, rajdis, rajdis plu, feliĉega. Ŝi, finfine, estis la grafino.

"Halt!"

Ili agis tiel rapide, ke Elza apenaŭ konsciis, kio okazas. Kvin maskitaj viroj, kelkaj kun pistoloj, ĉirkaŭis ŝin, ektenis la ĉevalon kaj ŝin kondukis for. Mallibera.

* * *

Jam la kvinan fojon en kvin minutoj Adriano Pipelbom rigardis la horloĝon. Li stariĝis de sur sia seĝo kaj komencis paŝi sencele en la ĉambro. Li ekbruligis unu el la pipelbomaj sentabakaj cigaroj, sed eĉ tio ne redonis pacon al li. Fine, kvankam estis iom tro frue, li eliris.

La atendo ja iĝis neelportebla.

Bela estis la nokto. La luno brilis kaj miloj da steloj okulumis al tiuj el la teranoj, kiuj, kortuŝitaj de la paca somernokto, direktis la rigardon ĉielen, kvazaŭ danke.

Adriano Pipelbom ne estis unu el ili. Li ne interesiĝis pri la steloj, kaj la sentoj, kiuj movis lian koron, neniel rilatis al danko. Li timis.

Ĉiam estas io malplaĉa en la fakto stari atendante iun, kiu ne venas. Se, krome, la atendo okazas nokte en arbareto, kiun trakuras kaj traflugas ĉiaspecaj bestetoj, kiujn ne eblas vidi, sed kies ĉeesto senteblas pro mil bruetoj, ĉiu pli malplaĉa ol la alia, tiam oni havas la impreson, ke oni baldaŭ perdos la saĝon por-ĉiame. Eĉ se oni nomiĝas Adriano Pipelbom.

La tempo pasis ege malrapide. Nenio okazis. Eĉ la bruetoj similis unu la alian de minuto al minuto, de kvaronhoro al kvaronhoro, alportante neniun diversecon al la unutona etoso de tiu en-arbara gardostaro.

En Adriano Pipelbom la timo pli kaj pli emis transformiĝi en koleron. Kion ili faras? Li alvenis ĉi tien kvaronhoron tro frue, sed ili nun malfruas duonhoron rilate al la firme difinita horo. Ĉu li povos ludi sian rolon taŭge, se ili plu atendigos lin? Kia malserioza generacio! La nunajn junulojn oni vere ne povas fidi.

Tamen, eble okazis io fuŝa, eble io misfunkciis, pri kio ili ne respondecas, ĉu? Li lasos al ili plian duonhoron.

Okazis nenio. La tuta plano malsukcesis. Ne ĉi-nokte Adriano Pipelbom povos savi la grafinon el danĝero, kaj ŝian koron tiel kapti. Li reiris hejmen, brulanta je kolero.

* * *

Adriano Pipelbom ne estis homo, kies koleroj forsvenas per si mem. Nur kiam ili trovis eksteran objekton, ili iom post iom komencas forbruli. Ĉi-foje li decidis direkti la furiozon al sia sekretario. Li paŝis telefonen.

"Mi ne komprenas, sinjoro," respondis la trankvila voĉo de Johano. "Ĉio estis en ordo ĉimatene. Ili atendis grafinon Montokalvan je la antaŭvidita loko, laŭ la indikoj, kiujn mi antaŭe ricevis de la servisto Cipriano pri ŝiaj rajdaj kutimoj. Ili sukcese haltigis la ĉevalon kaj kaptis ŝin. Kiam mi telefonis al ili tagmeze, ili certigis, ke ili transirigos ŝin ĉi-nokte el la urbo al tiu kampara dometo, pri kiu ni interkonsentis, kaj kien oni povas alveni nur piede tra la arbareto. Ili konfirmis, ke ili pasos je la 22:25 sur tiu arbara vojeto, kie vi troviĝos. Ili rediris al mi, ke ili konas senmanke sian rolon kaj ne dubas, ke ili sukcesos lasi vin superforti ilin tute bone. Ili estas anoj de teatra grupo kaj eĉ provludis inter si, kiamaniere ili helpos vin faligi la tri, unu post la alia..."

"Vi ne bezonas rediri al mi nian tutan planon. Ankaŭ mi konis mian rolon perfekte. Sed kiel mi povus ludi ĝin, se la aliaj ne venas? Kio okazis al tiu kompatinda grafino? Vi..."

Johano sentis, ke jen venos la kolera kriado. Kiel jam dirite, li konis perfekte sian mastron, li sciis, kiamaniere paroli al li en similaj cirkonstancoj. Per voĉo samtempe seka, trankvila, kaj tamen plena je respekto li diris:

"Ne havu zorgojn, sinjoro, mi informiĝos kaj tuj sciigos al vi."

* * *

Kiam la telefono reaŭdigis sin, Pipelbom ne dubis, ke jen lin vokas Johano, por sciigi la situacion. Li sekve tre miris, kiam alparolis lin iom naza voĉo, al li tute nekonata.

"S-ro Pipelbom?"

"Estas mi. Kiu vi estas? Kion vi volas?"

"Mi parolas nome de la teatraj amatoroj, kiuj aranĝis por vi la kapton de ..."

"Ŝŝŝŝ! Ne diru nomojn ĉe la telefono. Oni neniam scias, ĉu iu ne subaŭskultas nin," interrompis la riĉulo.

Kial, kelkajn minutojn antaŭe, li lasis sian sekretarion telefone raporti plej detale pri ilia plano, kaj nun subite pensis pri la risko de subaŭskultado, neniu povus klarigi. Oni povas esti sukcesa memfarita homo, kaj agi nekonsekvence.

"Nu, vi proponis al ni pagon por tiu laboro, ĉu ne? Verŝajne estus malsaĝe diri telefone, precize kiom, laŭ via propono, ni devus ricevi."

"Jes, jes, diskretu, mi petegas vin, diskretu. Sed nun," li varmiĝis, "mi postulas klarigojn pri tio, kial vi lasis min atendi dum tuta nokto en loko plej malplaĉa, dum vi devis plenumi taskon precizan kaj facilan."

"Ne koleru, s-ro Pipelbom, ne koleru. La afero estas simpla. Unu el ni subite konsciiĝis, ke grafino valoras multe pli ol vi proponis. Nun, kiam ni tenas ŝin kaptita, kial ni redonus ŝin kontraŭ difinita sumo, se ni povas postuli de vi la dekoblon?"

"Kion? Vi... Vi postulas la dekoblon?"

"Jes. Bonvolu pripensi iomete. Ni havas la grafinon. Ni povas fari ion ajn el ŝi. Kial ni ne uzus tiun okazon por tiri el vi sumon, kiu por ni estos granda kaj grava, dum vi eĉ ne sentos ĝian mankon?"

"Nu... Sed... Vi estas aĉuloj! Mi tuj informos la policon, kaj..."

"Ne, sinjoro, vi ne informos la policon. Vi perfekte scias, ke se vi tion farus, ni devus suferigi la grafinon, eble eĉ mortigi ŝin. Vi ne akceptus respondeci pri tia fi-ago, ĉu?"

"Sed..."

"Aŭskultu, sinjoro. Mi sufiĉe parolis. Mi lasos vin pripensi la aferon. Nun estas malfrue. Mi revokos morgaŭ por aranĝi detale la pagon kaj la redonon de la grafino, eble ankaŭ kun vi en la rolo de savanto."

"Klik," faris la telefono, antaŭ ol Pipelbom havis la tempon malfermi la buŝon.

Li ekstaris, kaj iris preni glason, kune kun botelo da brando. Refortigilon li nepre bezonis.

Johano iĝis ege pala.

"La aĉuloj!" li kolervoĉis.

"Kion ni faru?" demandis lia mastro, kun la tono de homo tute senhelpa.

Ambaŭ enpensiĝis.

"Ĉu la polico?" demandis Pipelbom.

"Ne. Tro danĝere. La sola solvo estas pagi. Finfine, via celo estas aperi al la grafino kiel savanto. Ni ne plu bezonas la enarbaran teatraĵon. Se la grafino ekscios, ke kiam ŝi estis kaptita, vi estas tiu, kiu proponis pagi por ŝia liberigo, vi estos efektive tiu, kiu savis ŝin. Ŝi estos kortuŝita, kaj tute certe same dankema, kiel en nia unua plano. Eble eĉ pli, ĉar ĉi-foje la afero aperos pli reala."

"Eble vi pravas. Tamen, mi ne ŝatas la ideon jesi al tia ĉantaĝo. Mi proponas, ke ni ne decidu hodiaŭ. Dormi ĝenerale helpas trovi solvon al problemo. Ni reparolos pri tio morgaŭ matene.

Sed mi postulas, Johano, ke vi havu ideojn!"

제6장   백작 부인이 부러운 엘자

자주, 어릴 적에, 엘자는 스스로 백작 부인이라는 몽상에 빠졌다. 생각하면 그녀가 이상하게 유년 시절부터 청순함을 지녀왔으나, 반면에 몬토칼바 백작 부인은 못생긴 걸로 유명했다. 너무 긴 얼굴에 코는 비뚤어졌고 입이 컸으며 정돈되기를 거부하는 머리카락은 조화 안 된 머리통 꼴(몇몇 사람은 말머리 같다고 함)을 만들었다. 그리고 어깨가 너무 강해 사내 같은 체격은 보는 사람에게 대자연이 그녀를 만들 때 작업을 망쳤다는 생각을 떨치지 못하게 했다.

그러나 엘자에게 백작 부인은 아주 특별했다. 그녀는 성(城)이 있고 품위가 있고 권위가 있었으며, 아버지가 그녀에 대해 '백작 부인 각하' 라고 말할 때 쓰는 어조는 흡사 먼 시대에서 온 듯한 신비로운 우월성을 늘 생각하게 했다. 게다가 백작 부인은 말도 한 마리가 있었다.

아침마다 일곱 시에 백작 부인은 특별한 승마복 차림으로 늘 같은 길을 말 타고 산책했다. 말 위에서 그녀는 얼마나 아름답고 얼마나 권위 있게 보였던가!

어릴 때부터 말 타기에 다소 호기심이 있던 엘자는 백작 부인의 멋진 승마복과 아침 승마 산책 하는 동안의 우월한 태도를 꿈꾸었다. 한 번이라도, 단 한 번만이라도, 그녀는 그 역할을 할 수 있었으면 했다.

그리고 놀랄 만한 일이 펼쳐졌다.

엘자가 사랑하는 화학자 니콜라오는 그가 이미 오래전부터 국가 정보기관에 팔겠다는 희망을 품고 오랫동안 공들여온 물질을 실제 상황에서 시도할 것인지 그녀의 의견을 조심스럽게 간청했다. 친구의 비밀 이야기에 따르면 그 기관도 비슷한 물질을 원하고 있었다. 그녀는 어떤 실제적 목적에 그것이 적용될 수 있는지를 곧 알았다. 적은 양으로 기분을 좋게 하지만 동시에 정신 작용을 방해하고 일정한 대량으로는 별개의 특성이 있는 수면제였다. 이제 아침 일곱 시 몇 분 전이었다, 엘자는 백작 부인의 침실 안에 서서 깊이 잠든 그녀를 가슴을 크게 두근거리며 바라보았다. 니콜라오의 물질은 효과가 퍽 좋았다. 아주 조용하게 엘자는 승마복이 많이 걸린 큰 옷장 쪽으로 갔다.

그녀는 옷을 천천히 골라서 입고는 높은 거울 속의 자신에게 감탄했다. 이 옷들이 완벽하게 맞는다고 말하면 거짓말이 되겠지만, 그 세세한 것들이 그녀의 즐거움을 망치지는 않았다.

즐거움은, 백작 부인의 코안경과 그 받침대에서 발견한 가발 중 하나를 보고는 더욱 커지기까지 하였다. 그것들을 쓰고 싶은 욕망을 참으려면 초인간의 의지력이 있어야 하는데, 엘자는 초인간이 아니었다. 조용한 기쁨 속에 그녀는 그 장신구들을 걸쳤다. 아쉽게도 가발은 잘 씌워지지 않았다. 그렇지만 옷장에 적어도 다른 가발이 다섯 개나 있었다. 바로바로! 엑! 완벽한 백작 부인이 되게 하겠어! 그 가발 가운데 하나가 딱 맞았다.

엘자가 거울 속의 제 모습을 보았을 때, 소리 크게 웃음이 터져 나오는 것을 참기 어려웠다. 그녀는 자신을 완전히 백작 부인이라고 느꼈다.

입이 찢어지도록 미소를 지으며 그녀는 방에서 나와 마구간으로 갔다.

모든 자연이 서로 미소를 나눴다. 하늘이 그렇게 푸른 적이 없었고, 새들이 그렇게 예술적으로 노래한 적이 없었으며, 나무들이 그렇게 친근하게 환영을 나타낸 적이 없었다.

엘자는 속 시원히 자신에게 웃어 주었다. 니콜라오의 약으로 백작 부인 재우기는 아이 장난처럼 쉬워, 그것은 다만 단순하고 즐거운 농담으로 보였다. 어린 시절에 가장 세게 느꼈던 욕망을 스물 한 살의 나이에 실현하다니! 무엇이 그것보다 완전하고 마음에 꽉 드는 몽상이루기의 느낌을 줄 수 있겠는가? 그녀는 말 타고, 타고, 타면서 행복 만점이었다. 그녀는 결국 백작 부인이었다.

"서!"

그들은 아주 재빨라서, 엘자가 무엇이 일어났는지 거의 모를 지경이었다. 복면한 남자 다섯이, 몇몇은 권총을 가지고, 그녀를 에워싸더니, 말을 붙잡고, 그녀를 멀리 데려갔다. 가두어졌다.

* * *

이미 오 분 동안 다섯 번이나 아드리아노 피펠봄은 시계를 보았다. 그는 의자에서 일어나 목적 없이 방안을 걸었다. 그는 담배 없는 피펠봄 회사 제품 시가 한 개에 불을 붙였지만, 그것마저 그에게 안정을 되찾게 해 주지 않았다. 마침내 너무 이르기는 하지만, 그는 나갔다. 기다림은 정말 참아내기 어려웠다.

밤은 아름다웠다. 달은 빛나고 수많은 별들이, 평화로운 여름밤에 감동돼 감사드리는 듯 하늘을 우러러 보는 수많은 지구인들에게 눈을 깜박였다.

아드리아노 피펠봄은 그들 중의 한 사람이 아니었다. 그는 별에 관심이 없고 그의 마음을 움직이는 감정은 감사와 전혀 관계가 없었다. 그는 겁이 많았다.

오지 않는 누군가를 기다리며 서있다는 사실은 늘 달갑지 않은 일이다. 게다가, 볼 수는 없어도, 모두 다른 것보다 고약한 천 가지 작은 소음 때문에 존재가 느껴지는, 모든 종류의 작은 짐 승이 뛰어 다니고 날아다니는 숲속에서 밤에 기다리게 된다면, 어떤 이들은 곧 영원히 제 정신을 잃으리라는 느낌을 깊이 받는 다. 아드리아노 피펠봄이라고 불리는 이라 할지라도

시간은 아주 느리게 갔다. 아무 일도 일어나지 않았다. 일 분이 지나도, 십오 분이 지나도, 작은 소음들은 서로 비슷해서, 숲 속 파수꾼의 단조로운 분위기에 다양성을 가져다주지 못했다.

아드리아노 피펠봄의 마음속에서 무서움은 점점 분노로 변해 갔 다. 그들은 무엇을 하고 있나? 그는 너무 일찍 십오 분 전에 여 기 왔지만, 이제 그들은 단단히 정한 시각에 비해 삼십 분 늦 는다. 그들이 그를 더 기다리게 하면, 그가 제 역할을 제대로 할 수 있을까? 얼마나 경박한 세대인가! 요즘 젊은이들 정말 믿 을 수 없어.

뭔가 망친 일이 일어났을 수도 있고, 뭔가 고장 났을 수도 있다 하더라도, 그것에 대해 그들은 책임이 없나? 그는 추가 삼십 분 을 그들에게 허락할 것이다.

아무 일도 일어나지 않았다. 전체 계획이 실패했다. 오늘 밤에는 아드리아노 피펠봄이 백작 부인을 위기에서 구해내 그녀의 마음 을 사로잡을 수 없을 것이다. 그는 화가 불같이 나서 집에 돌 아갔다.

* * *

아드리아노 피펠봄은 분노가 저절로 가라앉는 사람이 아니었다. 그 분노가 외부 대상을 찾았을 때에만 조금씩 사그라지기 시작한다. 이번에는 분노 방향을 제 비서 쪽으로 틀기로 작정했다. 그는 전화기 쪽으로 걸어갔다.

"저는 이해가 안 됩니다. 사장님."

요하노가 평온한 음성으로 대답했다.

"모든 것이 오늘 아침에는 제대로였습니다. 그들은 몬토칼바 백작 부인을 제가 전에 백작 부인의 승마 습관에 관해 지프리아노에게서 받은 지시에 따라 미리 봐 둔 곳에서 기다렸습니다. 그들은 성공적으로 말을 세우고 그 여자를 잡았습니다. 제가 그들에게 정오에 전화했더니 그들은 시내에서 그녀를 우리가 합의한 시골집으로 오늘 밤에 옮기겠다고 했습니다. 거기는 작은 숲을 통해 걸어서만 다다를 수 있습니다. 그들은 우리가 있을 숲속 작은 길을 이십이 시 이십오 분에 지나겠다고 확인시켜 주었습니다. 그들은 자신들의 역할을 충분히 알고 있으며 사장님이 그들을 아주 잘 제압하도록 하는데 성공할 것을 의심하지 않는다고 다시 제게 말했습니다. 그들은 연극단 단원이며 사장님이 세 명을 차례로 쓰러뜨리는 것을 어떤 방식으로 도울지 그들끼리 시연까지 했습니다."

"자네는 우리 계획을 모두 내게 다시 말하지 않아도 되네. 나도 내 역할을 완벽하게 알고 있어. 그렇지만, 다른 사람들이 오지 않으면, 내 역할을 어떻게 할 수 있지? 이 불쌍한 백작 부인에게 무슨 일이 생겼을까? 자네는……."

요하노는 사장이 화가 나서 소리를 지를 때가 바로 오겠구나 하고 느꼈다. 이미 말했듯이 그는 자기 주인을 완벽하게 알았으며 비슷한 상황에서 사장에게 어떻게 말해야 하는가를 알고 있었다.

늘 건조하고, 조용하고, 그러면서도 존경이 가득한 목소리로 그는 말했다.

"염려 마십시오, 사장님, 제가 알아보고 곧 보고 드리겠습니다."

* * *

전화 오는 소리가 다시 들릴 때, 피펠봄은 이제 요하노가 상황을 알리려고 거는구나 하고 달리 의심하지 않았다. 따라서 전혀 알지 못하는 조금 낮은 음성이 말을 걸어 왔을 때 매우 놀랐다.

"피펠봄 씨 되십니까?"

"접니다. 누구십니까? 무슨 일이지요?"

"연극 동호인들의 이름으로 전화를 드리는데요, 우리가 당신을 위해 납치한……."

"쉿! 전화로 이름을 대지 마십시오. 누군가가 우리 통화를 엿들을지 모르니까요." 부자가 말을 잘랐다.

왜, 몇 분 전에 그가 비서에게 전화로 그들의 계획에 대해 아주 상세하게 보고하도록 해 놓고 지금 갑자기 도청 위험을 생각하는지, 아무도 설명할 수 없을 것이다. 자수성가한 인물은 행동을 일관성 없게 하는 수가 있다.

"저, 우리한테 일한 대가를 치르겠다고 하셨지요? 전화로 말씀드리는 게 현명치 못한 것 같기는 합니다만, 귀측의 제안으로는 정확히 얼마를 우리가 받아야 하는지."

"예, 예, 신중하게 하세요, 제발 신중하게 하세요. 그런데 지금," 그는 열이 올랐다.

"당신들은 임무를 정확하고 쉽게 완수했어야 하는데, 왜 나한테 아주 고약한 곳에서 밤새도록 기다리게 했는지 해명을 요구합니다."

"화 내지 마십시오, 피펠봄 씨, 화 내지 마십시오. 일은 간단하죠. 백작 부인의 가치가 피펠봄 씨가 제안한 것보다는 훨씬 높다는 걸, 우리 가운데 한 사람이 퍼뜩 깨달았어요. 지금 우리가 그녀를 잡아 두고 있을 때, 열 배를 요구할 수 있다면, 왜 정한 금액에 그녀를 돌려주어야 할까요?"

"뭐라고요? 당신들……. 당신들이 열 배를 달라고?"

"그렇습니다. 좀 생각해 보시기 바랍니다. 백작 부인이 우리한테 있습니다. 우리가 그녀에게서 무엇이든 만들어낼 수 있습니다. 당신에게는 없어도 별 느낌조차 없을 테지만 우리한테는 거액이고 중요한 금액을 뜯어낼 기회, 우리가 왜 이용하지 않겠습니까?"

"저런, 그런데……. 당신들은 악한들이야! 바로 경찰에 신고하고……."

"아니요, 사장님은 경찰에 신고하지 않을 거요. 그렇게 하면 우리가 백작 부인을 괴롭혀야 한다는, 어쩌면 죽이기까지도 해야 한다는 걸, 사장님은 잘 알고 있지요. 그런 험한 짓에 대한 책임을 받아들이고 싶소?"

"그런데……."

"사장님, 잘 들으시오. 난 충분히 말씀 드렸소. 사건을 잘 생각해 보세요. 지금은 시간이 늦었군요. 지불액과 백작 부인 반환을, 아마 구원자 구실을 맡은 당신과도 함께 구체적으로 다루기 위해서 내일 제가 다시 전화 드리지요."

"딸깍."

피펠봄에게 입을 열 시간도 주지 않고 전화가 끊겼다.

그는 일어나서 잔과 브랜디 병을 가지러 갔다. 기운회복제가 그에게 꼭 필요했다.

* * *

요하노는 매우 창백해졌다.

"이 새끼들!" 그는 화를 내며 소리쳤다.

"무엇을 해야 하지?"

완전히 무력한 사람의 어조로 그의 사장이 물었다.

둘 다 생각했다.

"경찰?" 피펠봄이 물었다.

"아닙니다. 너무 위험합니다. 유일한 해결책은 돈을 지불하는 것입니다. 궁극적으로 사장님의 목표는 백작 부인에게 구원자로 나타나는 것입니다. 우리는 더 이상 숲속의 연극을 필요로 하지 않습니다. 백작 부인이 그녀가 체포되었을 때 석방 비용을 지불하겠다고 제안한 사람이 사장님이라는 것을 알게 되면 실제로 그녀를 구한 사람이 될 것입니다. 그녀는 감동을 받을 것이며, 우리의 첫 번째 계획에서처럼 확실히 감사할 것입니다. 이번에는 더 현실적으로 보일 것이기에 어쩌면 더 많을 수도 있습니다."

"어쩌면 자네가 옳아. 그러나 그러한 협박에 동의한다는 생각이 마음에 들지 않아. 오늘 결정하지 않는 것이 좋아. 수면은 일반적으로 문제에 대한 해결책을 찾는 데 도움이 되지. 내일 아침에 다시 이야기해."

Ĉapitro 7

La grupo ridegis.

"Kion ni faros morgaŭ, se li konsentos pagi?" junulo demandis.

Ĉiuj rigardoj turniĝis al la ĉefo.

"Ni akceptos la monon," tiu diris post silento, "kaj tuj redonos ĝin al li. Ni ne estas malhonestuloj. Ni ŝercis, kaj tion ni diros al li. Li verŝajne koleros, krios, ke nia humuro al li ne plaĉas. Mi respondos, ke niaj humursentoj malsamas, kaj ke mi persone trovis la ŝercon plej ĝojiga. Estas fakto, ke nia komedieto tre plezurigis min. Vi havis bonegan ideon, Ĝeraldo. Estas agrable senti sian potencon super fama potenculo."

"Sed ĉu li ne riskas fari al ni malagrablaĵojn?" demandis knabo, kiu ŝajnis ne pli ol 16-jara.

"Kian malagrablaĵon? Li povus fari nenion kontraŭ ni sen igi la aferon publika. Kaj tion li ne faros, ĉar li aspektus ridinda. Imagu! Se la ĵurnalistoj ekscius pri tiel bela aventuro, kiel bele ili priskribus ĝin! Aperus en ĉiuj ĵurnaloj raportoj pri la longa atendonokto de la fama Pipelbom. Ili humure rakontus, kiel li timete atendis la momenton roli kiel savanto al grafino, kaptita, laŭ lia peto, de pseŭdo-fiuloj, kaj insistus pri la fakto, ke la tuta pseŭdo-savo estis aranĝita por havigi al li okazon tuŝi la koron de tiu virino, al kiu li enamiĝis."

"Vi pravas," diris knabino, "li estas inteligenta. Li ne elportus tian ridigan baton al la pipelboma nomo."

"Tial ni havas povon superan al li," diris barbulo, kiu estis agema en sindikataj rondoj, "kaj tio donas al mi ideon. Kiam li savos la grafinon el nia aĉa bando, ni nepre devos foti lin. Vi scias, ke la lastan peton de nia sindikato pri la labor-kondiĉoj li forĵetis malestime. Ni povus postuli, ke li akceptu ĝin, dirante: se vi ne konsentos, ni publikigos la tutan aferon, kaj nia dokumentaro enhavas fotojn, sur kiuj oni bone rekonas vin."

"Tio estus aĉa ĉantaĝo, ĉu ne?"

"Kompreneble. Ankaŭ striko estas ĉantaĝo; se vi ne kontentigos nin, ni ne laboros. Ankaŭ la sinteno de mastro ofte estas ĉantaĝa: se vi ne akceptos tiun aŭ tiun ĉi laborkondiĉon, aŭ salajron, mi forĵetos vin el mia laboristaro. En la homa vivo, ĉant..."

Interrompis lin junulo, kiu alvenis el alia ĉambro, kaj parolis kolerete:

"Ej, Barbo, ĉu vi forgesis la horon? Jam de dek minutoj mi devus partopreni en via kunĝojado. Estas via vico gardi ŝin." La barbulo ekstaris, demandante: "Kion rakontas nia kara grafino?"

"Ĉiam la samajn aferojn: ŝi diras, ke ŝi ne estas grafino Montokalva, kaj ke ŝi dezirus dormi, sed ne povas, ĉar, laŭ ŝi, ni faras tro da bruo. Memkompreneble ŝi diras, ke ŝi ne estas la grafino. Se mi estus en ŝia loko, ankaŭ mi dirus la samon, ĉu ne?"

"Klare. Ŝi ne povus diri ion alian. Ne gravas. Sidiĝu, Ĵoĵo, kaj prenu glason. Ni esperu, ke Barbo estos same bona gardisto kiel vi, kaj ne tro suferigos nian belan kaptaĵon per longaj paroladoj pri la sociala stato de la lando."

"Ne parolu pri li malbone. Eble li estas la sola, kiu sukcesos dormigi ŝin. Ŝi nur lasu lin klarigi pri la vivo ekonomia kaj sociala. Post kvaronhoro ŝi dormos nevekeble."

* * *

Barbo estis for, Ĵoĵo estis for, ĉiuj aliaj estis for. Restis nur Ĝeraldo, tiu, kiu akceptis gardi ŝin tutnokte. Sin refoje certiginte, ke la «grafino» dormas, kaj ke li estas sola, li aliris la telefonon.

"Janpaŭlo!"

"Jes."

"Aŭskultu. Mi havas ideon. Eble tre gravan por nia Movado. Ĉi tie troviĝas sub mia gardo grafino

Montokalva... Kion?... Mi klarigos poste. Sed diru: ĉu ne estus saĝe...?"

Ankaŭ li ja havis sian planon.

제7장   납치범들의 대화

조직은 크게 웃었다.

"그가 지불하기로 동의하면 내일 우리는 무엇을 하죠?"

청년이 물었다.

모든 시선이 두목에게 향했다.

그는 침묵 후 "우리는 돈을 받고 즉시 그에게 돌려줄 것"이라고 말했다.

"우리는 부정직한 사람이 아니야. 우리는 농담했고, 그것을 그에게 말할 거야. 그는 아마도 화를 내며 우리 유머가 마음에 들지 않는다고 소리칠 거야. 나는 유머 감각이 다르며 개인적으로 농담이 가장 만족스러웠다고 대답할 거야. 우리의 작은 희극 때문에 내가 크게 기쁜 것은 사실이야. 좋은 생각이었어, 제랄도, 유명한 강자에 대해 우월감을 느끼는 것이 기분 좋아."

"하지만 그는 우리를 불쾌하게 만들 위험을 무릅쓰고 있지 않습니까?"

16세 이하로 보이는 소년이 물었다.

"어떤 불쾌감? 그는 문제를 공개하지 않고는 우리에게 아무 것도 할 수 없어. 그리고 그는 자신이 우스꽝스러워 보일 것이기 때문에 그렇게 하지 않을 거야.   상상해봐! 기자들이 그처럼 아름다운 모험을 알았다면 얼마나 아름답게 묘사했을까! 그 유명한 피펠봄이 긴 밤을 기다리며 보냈다는 보도는 모든 신문에 실릴 거야. 그들은 그가 자기 요청에 따라 가짜 악당들에게 붙잡힌 백작 부인의 구세주 역할을 하는 순간을 소심하게 기다렸다고 유머러스하게 이야기할 것이고 모든 가짜 구조가 자신이 사랑에 빠진 그 여자의 마음을 만질 기회를 갖기 위해 준비되었다는 사실을 주장할 거야."

"맞습니다."

한 소녀가 말했다.

"그는 똑똑해요. 그는 피펠봄이라는 이름에 그런 우스꽝스러운 타격을 입히지 않을 것입니다."

노동계에서 활동했던 수염 난 남자는 "그래서 우리가 그보다 우월한 권력을 갖고 있다" 고 말했다.

"좋은 생각이 있어. 그가 우리의 초라한 조직에서 백작 부인을 구출할 때, 우리는 확실히 그의 사진을 찍어야 해. 그가 우리 노조의 마지막 노동 조건 요구를 무시하고 내버린 것을 알잖아. '동의하지 않으면 사건 전말을 공개할 것이며 우리 서류에는 사람들이 쉽게 알아보는 당신 사진이 포함되어 있습니다.' 라고 말하며 그것을 수락하도록 요구할 수 있을 거야."

"그것은 끔찍한 협박이 될 것입니다, 그렇죠?"

"물론. 파업은 협박이기도 합니다. 당신이 우리를 만족시키지 않는다면, 우리는 일하지 않을 것입니다. 고용주의 태도도 종종 협박을 가합니다. 이런 저런 노동 조건이나 급여를 받아들이지 않으면 직장에서 쫓겨날 것입니다. 인간의 삶에서 협박이……."

다른 방에서 온 젊은이가 끼어들더니 화를 내며 말했다.

"야, 털보, 시간 잊었어? 벌써 10분 전에 즐거운 이 자리에 있어야 했어. 네가 그녀를 돌볼 차례야."

수염 난 남자가 일어나서 물었다.

"사랑하는 우리 백작 부인이 말씀하시는 것은 무엇입니까?"

"항상 똑같아. 그녀는 자신이 몬토칼바 백작 부인이 아니고 자고 싶지만 그녀에 따르면 우리가 너무 시끄럽게 떠들어 잠을 잘 수 없다고 말해. 물론 그녀는 백작 부인이 아니라고 말해. 내가 그녀의 입장이었다면 나도 똑같은 말을 했을 텐데, 그렇지?"

"분명해. 그녀는 다른 말을 할 수 없어. 그것은 중요하지 않아. 앉아, 조조, 그리고 한 잔 해. 털보가 너처럼 훌륭한 파수꾼이 되길 바라며, 국가의 사회적 상황에 대한 긴 연설로 우리의 아름다운 포로가 너무 많이 고통 받지 않기를 바라."

"그에 대해 나쁘게 말하지 마십시오. 아마도 그는 그녀를 재우는데 성공할 유일한 사람일 것입니다. 그녀는 그에게 경제 및 사회생활에 대해 설명하게 둘 겁니다. 15분 뒤에 그녀는 깨어나지 않고 잠이 들 겁니다."

* * *

털보도 가고, 조조도 가고, 다른 사람들도 모두 사라졌다. 그녀를 밤새 지켜보기로 동의한 제랄도만 남았다. 백작 부인이 자고 있는지, 혼자인지 다시 한 번 확인한 후, 그는 전화를 걸었다.

"존 폴!"

"예."

"들어. 나는 생각이 있어. 아마도 우리 운동에 매우 중요할 거야. 여기에서 몬토칼바 백작 부인을 지키고 있어. 뭐? 나중에 설명할게. 하지만 현명하지 않을까요? 하고 말해."

그에게도 정말 계획이 있었다.

Ĉapitro 8

La sekvantan matenon, Adriano Pipelbom matenmanĝis en la riĉa domo, kie li loĝis, proksime al la rivero, kaj li rigardis kun miksaĵo el malĝojo kaj kolero la tuj apudan terzonon, kiun la socialistaj urb-aŭtoritatoj baldaŭ forprenos de li, por tie farigi laŭriveran publikan promenejon.

"Kiel maljusta estas la vivo!" li pensis, ame rigardante tiun admirindan lokon, kiu estis lia, sed kie post nelonge bandoj da stultuloj kaj fiuloj – eble eĉ kriemaj infanaĉoj, aŭ, brueme, malbelaj junuloj – ne hezitos paŝi, senigante la lokon je ĝia paca, purnatura etoso, kaj ridante pri li kun aĉa sento de supereco. (La alia vidpunkto – laŭ kiu estis maljuste, ke unu sola homo proprigu al si longan zonon de tero en la plej rigardinda parto de la regiono ĉirkaŭ-urba – tute ne trafis lian menson).

"Jes, la vivo estas maljusta," li laŭte ripetis, portante al sia buŝo la tason da kafo, kiu troviĝis antaŭ li. Kaj por forgesi pri siaj zorgoj, li direktis sian atenton al la radio, kiu funkciis, kiel ĉiumatene, kiam li matenmanĝis.

Li preskaŭ faligis la tason, tiom la novaĵo lin skuis. Ĝi tekstis jene:

"Anoj de la Movado por Vera Eŭropo alsaltis kaj kaptis grafinon Montokalva hieraŭ, dum ŝi faris sian ĉiutagan rajdan promenon. En telefon-alvoko jus direktita al la Tutlanda InformAgentejo, ili deklaris, ke ili mortigos ŝin, se oni ne liberigos tri sambandanojn, kiujn nun tenas la polico. Temas pri Paŭlo Kravata, Sofia Melinor kaj Jano Superŝuto, kiuj estis arestitaj antaŭ unu semajno..."

"Johano! Ĉu Johano estas ĉi tie? Kie sin kaŝas mia fisekretario?" li kriegis furioze.

La junulo, kiu devis esti ĉiumatene je la servo de sia mastro, liahejme, tuj alvenis, trankvila.

"Ha! Jen vi estas! Vi scias, ĉu ne?, kion vi faris!"

"Mi scias, kio okazis al la grafino," reĝustigis la junulo. "Mi jus aŭdis la radion."

"Jen al kia katastrofo kondukis nin via stulta plano! Kiel vi sukcesis, ke ŝi transdoniĝu al teroristoj? Ĉu vi bonvolos klarigi? Ĉu ankaŭ vi volas ĉantaĝi min? Kiun ludon vi ludas? Diru!
Diru do! Ĉu vi estas kun mi aŭ kontraŭ mi?"

"Mi estas via plej sincera servanto, sinjoro," Johano respondis tiel pace, ke Pipelbom jam komencis retrovi iom da trankvilo.

"La situacio estas tre delikata," li daŭrigis, "sed certe ni trovos solvon. Vi rimarkis, ke la radio ne parolis pri via rolo en la afero. La teroristoj do verŝajne ne scias, ke la unua kapto de la grafino rilatas al via edziĝdeziro. Tiu penso estas trankviliga, ĉu ne?"

Laŭ sia vizaĝo, Adriano Pipelbom havis aliajn ideojn ol la sekretario koncerne trankviligajn pensojn.

"Elpensu solvon," li diris postulvoĉe. "Ke ni troviĝas en la nuna situacio, tion kaŭzis vi, kaj via imagriĉa plano. Se vi ne solvos la aferon rapide kaj sen malbonaĵo por mi, vi povos serĉi alian oficon. Iru! Mi ne bezonos vin hodiaŭ. Mi bezonas esti sola."

Pala, Johano eliris kun premata koro. Li sin demandis, kiel, diable, li povos elturni sin.

제8장   놀란 백만장자

이튿날 아침 아드리아노 피펠봄은 자신이 살고 있는, 강에서 가까운 부유한 집에서 밥을 먹고 나서, 강 연안에 공공 산책 장소로 만들려고 사회주의자인 시 당국자들이 빼앗아 갈 바로 가까운 토지 구역을 불쾌와 분노가 뒤범벅된 심정으로 바라보았다.

"삶은 얼마나 불공정한가!"

그의 것이지만 오래지 않아 바보와 악당의 무리가 - 아마 소리 지르는 어린이들 또는 소란스럽고 못생긴 청년들까지도 - 평화롭고 청정한 자연 환경을 없애면서, 그리고 추악한 우월감으로 그를 비웃으면서 거침없이 지나다닐 것이라고 자신의 멋진 곳을 사랑스럽게 바라보며 그는 생각했다. (다른 관점 - 불공정한 사람들에 따르면, 시를 둘러싼 지역에서 가장 볼 만한 기다란 토지 구역을 단 한 사람이 소유한다는 것 - 은 전혀 그의 정신에 맞지 않았다).

"그래, 삶은 불공정한 거야,"

앞에 놓인 커피 잔을 입으로 가져가면서, 그는 큰 소리로 되뇌었다. 그리고 근심을 잊으려고, 아침 먹을 때 날마다 틀어 놓은 라디오 쪽에 마음을 기울였다.

그는 뉴스를 듣고 너무 흔들려 커피 잔을 떨어뜨릴 뻔했다. 뉴스는 다음과 같았다.

"[참유럽운동] 회원들이 습격하여 어제 몬토칼바 백작 부인을 납치했습니다. 부인은 날마다 하던 승마 산책을 하는 중이었습니다. 온나라통신에 방금 건 전화에서, 그들은 경찰이 현재 붙잡아 두고 있는 회원 셋을 풀어 주지 않으면, 부인을 죽이겠다고 선포했습니다. 한 주 전 붙잡힌 파울로 크라바타, 소피아 멜리노르, 야노 수페르슈토가 그들입니다."

"요하노! 요하노가 여기 있나? 내 비서 녀석은 어디 숨은 거야?"

그는 노발대발하여 소리쳤다.

매일 아침 주인을 받드느라고 집에 와 있어야 하는 청년은 방금 도착하여 태평한 태도를 하고 있었다.

"하, 자네 여기 있군! 자네 모르고 있나? 자네가 한 짓을!"

"저는 백작 부인에게 무슨 일이 일어났는지 알고 있습니다." 젊은이는 자세를 바로 했다.

"방금 라디오를 들었습니다."

"네 어리석은 계획 때문에 이 무슨 엄청난 재앙인가! 넌 그녀를 테러리스트에 넘기는 데에 그렇게 성공한 거야? 설명 좀 해 보겠어? 너도 나를 등쳐먹을 셈이야? 넌 무슨 역할을 한 거야? 말해! 도대체 말하라고! 넌 내 편이야 반대쪽 편이야?"

"저는 사장님께 가장 성실하게 봉사하는 하인입니다."

요하노가 그렇게 유순하게 대답하자, 피펠봄은 벌써 조금 누그러지기 시작했다.

"상황이 아주 묘합니다."

그는 말을 이었다.

"그렇지만 분명히 해결 방도는 있을 겁니다. 라디오가 그 사건에서 사장님이 무슨 역할을 했는지 말하고 있지 않다는 것을 사장님은 아셨습니다. 테러리스트들은 백작 부인의 첫 번째 납치가 사장님의 결혼 의사와 관련된 것을 모르고 있는 듯합니다. 그렇게 생각하면 안심되지 않으십니까?"

얼굴을 보니 아드리아노 피펠봄은 자신을 안심시키려는 생각과 관련해서 비서와 다른 생각을 하고 있었다.

"해결책을 짜내." 그는 강요하듯 말했다.

"네가 일으킨 지금 상황과 네 상상력 풍부한 계획에서 우리가 처한 것에 대해서 말이야. 네가 사건을 빨리 해결하지 않고 내게 나쁜 일이 생기지 않게 하지 않으면, 넌 딴 직장을 찾아 봐도 좋아. 가! 나는 오늘 네가 필요 없어. 난 혼자 있어야겠어."

얼굴이 창백해진 요하노는 가슴을 누르면서 나왔다. 그는 어떻게 빌어먹을 난국에서 벗어날 수 있을까 스스로에게 물었다.

Ĉapitro 9

"Sed kio okazis? Kiel eblas?" Barbo insiste demandis.

"Mi ne scias," la telefona voĉo respondis. "Neniu scias. Pluraj el ni provis telefoni, sed neniu respondas. Verŝajne, tiuj teroristoj rimarkis, ke ni havas la grafinon kun ni, kaj deziris profiti la okazon. Ni estis malsaĝaj lasi ŝin sub la gardo de Ĝeraldo sola, des pli, ĉar li estas tiel malforta knabo. Certe ili alsaltis lin kaj forportis la grafinon, la diablo scias, kien."

* * *

Dum s-ro Pipelbom komencis matenmanĝi, je kelkaj kilometroj for, la telefono vekis la ĵus priparolitan Ĝeraldon, la maldikan knabon, kiu gardis Elzan, misprenitan por la grafino.

"Ej! Kion vi faras? Mi bezonis duonhoron por venigi vin al la telefono," sonis voĉo malkontenta. La ĉefo.

"Mi... mi... mi dormis," respondis Ĝeraldo, provante superi ankoraŭ fortan emon fermi la okulojn kaj lasi sian menson flugi sonĝolanden.

"Mi diris al vi hieraŭ, ke por unu nokto ni povas lasi ŝin tie, sed ke ni nepre devos transloki ŝin hodiaŭ. La afero fariĝis urĝa, ĉar Karlo miskomprenis min kaj transdonis la novaĵon tro frue al la Tutlanda Inform-Agentejo. Iru tuj konduki ŝin al Punkto 3. Margarita enirigos vin."

"Bone. Mi iros tuj."

Ĝeraldo paŝis al la ĉambro, kie dormis Elza. Li ŝin rigardis. Ŝi estis tre bela. Ŝi dormis tiel pace, ke ŝia vizaĝo estis tute malstreĉita, kaj tio eĉ pli beligis ŝin.

Rigardante ŝin, li sentis pli precize, kaj dolore, sian malsuperecon. Li estis maldika, malforta, malsaneca, «apenaŭ duonviro», foje diris al li laborkunulo. Eble ĝuste tiu sento pri nesufiĉeco igis lin aliĝi al la Movado por Vera Eŭropo: kunagi kun tiu politika movado estis trovi fratecon ĉe homoj fortaj, kiuj agis «fortule» — sen kulposentoj — por anstataŭigi la «malfortan» demokration per ŝtato pli vireca, pli militema; kunlabori kun ili estis trovi en la grupo virecon, kiun li nur malsukcese serĉis en si mem.

Kaj nun li devis veki la kaptitan virineton kaj konduki ŝin for. Sed kion li faros, se ŝi kontraŭstaros lin? Pli ol iam ajn li sentis kun malgajo sian senmuskolecon. Li ne estis impresa. Male, ŝia beleco, ŝia evidente perfekta sano impresis lin. Li devos trovi en si kiel eble plej multe da volforto, kaj ĝin esprimi per plej firma parolmaniero — subdirante, ke ŝi riskos multegon, se ŝi ne obeos — por ke ŝi akceptu sekvi lin.

Li iom skuis ŝin, por ŝin veki. Ŝi restis trankvile dormanta. Li skuis ŝin pli forte. Ne efikis.

Elza estas unu el tiuj personoj, kiuj fojfoje malfacile endormiĝas, sed kies dormo, kiam ĝi fine ilin prenis, tenas ilin kun grandega forto. Ĉi-foje, tuta tago da aventuroj kaj duonnokto da konstanta laŭta bruado, parolado, ridado fare de ŝiaj kaptintoj, sekvata de pluraj horoj da soleca zorgado en loko nekonata, eĉ pli ol kutime malhelpis fruan endormiĝon. La mankon ŝi nun kompensis per aparte profunda dormo.

Memorante, ke disponebla aŭto, kies ŝlosilojn li havas, staras tuj antaŭ la domo, Ĝeraldo decidis porti ŝin en ĝin. Ke ŝi profunde dormis, tio estis des pli bona, ĉar tiel li ne devos timi ŝian kontraŭstaron. Sed ve! Kiom ajn li streĉis la fortojn, ŝia pezo ilin superis. Li tute ne sukcesis ŝin levi.

Malkontenta pri si, li timeme decidis telefoni al la ĉefo.

"Kdompreneble vi ne povus ŝin levi," tiu diris malestime. "Veku ŝin. Uzu malvarman akvon, frapetu ŝin, kriu en orelon aŭ faligu planken bru-farajn objektojn apud ŝi. Trovu ion ajn, sed, je la nomo de l' diablo, veku ŝin, veturigu ŝin kiel eble plej frue al Punkto 3. Kaj telefonu al mi, tuj kiam vi alvenos."

Ĝeraldo ne trovis la situacion ĝojinda. Li pli kaj pli

sin demandis, ĉu li agis saĝe proponante uzi la kapton de la grafino por la celoj de la Movado. Sed la fakto, ke la respondo estis nea, tute ne helpis lin. Kun ĝemspiro, li iris preni malvarman akvon.

La reago de Elza estis tuja kaj rekta. Ŝi ne plene vekiĝis. Duondormante, ŝi sentis, ke iu ĝenanto intervenas en ŝian plaĉan sonĝon, kaj ke tio postulas forigon de la ĝeno. Ŝi ne bezonis unu sekundon por, per unu bato tute preciza al lia orelo, boksi Ĝeraldon for. Dum li falis, la kapo de la knabo trafis la muron tiel forte, ke li svenis. Ne plu ĝenata. Elza retrovis plezure sian sonĝon.

* * *

La loko nomata «Punkto 3» en la sekreta lingvaĵo de la bando ne estis tre malproksima. Ne ricevinte informojn post pli ol duonhoro, la ĉefo komencis zorgi. Li mem ne povis forlasi sian laboron, sed li povis telefoni. Li do alvokis Adamon, anon de la bando, iri al la apartamento, kie la kaptita virino kaj Ĝeraldo troviĝis, vidi, kio tie okazas, kaj helpi laŭeble.

Kiam Adamo sonorigis ĉe la pordo, la sono vekis Ĝeraldon, sed tiu ne estis tre firma sur siaj kruroj, kiam li ekstaris. Li malŝlosis la pordon.

"Kio okazis? La ĉefo furiozas!" Adamo diris.

Ĝeraldo rigardis lin kun stranga esprimo. Li sentis sin nebone, kaj emis fali dekstren, verŝajne pro la bato al lia orelo.

"Ĉu ŝi batis vin?" Adamo daŭrigis, rigardante la vizaĝon de Ĝeraldo, kaj konstatante, ke tiu kvazaŭ perdis la povon paroli. "Ĉu ŝi forkuris?"

"Batis? Jes. Forkuris? Nu, mi ne scias. Ŝajnas, ke... Eble..."

Adamo trakuris la apartamenton, brufermante ĉiujn pordojn, kolere maltrankvila.

"Jen ŝi estas," li kriis. "Ŝi dormas. Ni veku ŝin."

Frapante ŝian vizaĝon kun forto, li estigis en Ĝeraldo senton de admiro. Tiu ja ne kuraĝus uzi similan forton ĉe tiel bela vizaĝo. El la vidpunkto de efikeco, la metodo estis ĝusta: Elza duone vekiĝis.

Duone dormante, ne bone sciante, kie ŝi estas, kaj kio okazas al ŝi – sed impresita de la aŭtoritata sinteno de Adamo – ŝi revestis sin, kaj eliris kun ili. Por ke ŝi ne risku liberiĝi, Ĝeraldo tenis tre forte ŝian brakon, kaj la tuŝo al ŝia korpo estigis en li sentojn, kiuj lin maltrankviligis. Ŝajnis, ke ŝi estas pli amebla kaj aminda ol grafino devus esti. Ĉu al Adamo tio evidentiĝis? Eble, ĉar li maldolĉe diraĉis al sia kunulo: "Lasu min ŝin teni, vi ne estas fidinda."

제9장   납치된 엘자

"그런데 무슨 일이 일어난 거야? 어떻게 그럴 수 있어?"
털보가 다그쳤다.
"난 몰라,"
전화 속 목소리가 대답했다.
"아무도 몰라. 우리들 여럿이 통화하려 했지만 받는 사람이 없어. 이 테러리스트들은 우리가 백작 부인을 잡아 두고 있는 것을 알고 돈을 뜯어내려는 듯해. **제랄도** 혼자 지키게 놔 둔 게 잘못이야. 그 애는 너무 허약한 데 말이야. 분명히 그들이 그를 습격해서 백작 부인을, 빌어먹을, 어디론가 데려 간 거야."

* * *

피펠봄 씨가 아침 먹기 시작할 동안, 몇 킬로미터 떨어진 곳에서 방금 말한 제랄도가 전화기 울리는 소리에 잠을 깼다. 그는 백작 부인으로 오인되고 있는 엘자를 지키는 말라깽이 청년이었다.
"에이! 너 뭘 하고 있어? 너한테 30분 동안이나 전화 했어."
불만스러운 목소리가 울렸다. 두목이었다.
"저……. 저……. 저는 자고 있었어요."
제랄도가 대답했다, 아직도 눈을 감기게 하고 그의 정신을 꿈나라로 날아가게 하려는 강한 힘을 억누르려고 하면서.
"내가 어제 너한테 말했지. 하룻밤 우리가 거기서 그녀를 있게 하고 오늘은 옮겨야 한다고. 일이 급하게 됐는데, **카를로**가 내 말을 잘못 알아듣고 온나라통신에 너무 일찍 뉴스를 제공했단 말이야. 바로 가서 그녀를 3번 지점에 데리고 가. **마르가리타**가 들여보내 줄 거야."

"좋습니다. 곧 가겠습니다."

제랄도는 엘자가 자는 방으로 갔다. 그는 그녀를 바라보았다. 그녀는 아주 예뻤다. 그녀는 태평스럽게 자서 그녀의 얼굴은 긴장이 확 풀려 있었고, 그것이 그녀를 더욱 예쁘게 했다.

그녀를 바라보면서 그는 더 정통으로 아프게 열등감을 느꼈다. 그는 깡마르고 약하고 걸핏하면 앓아, 동료 노동자가 말한 바 있듯이 [절반의 사내]였다. 아마 결핍에 대한 그 감정 때문에 그가 [참된 유럽을 위한 운동]에 가입했을 것이다. 그 정치적 운동에 가담한 것은 강한 사람들에게서 연대감을 찾기 위해서였다. 그들은 강자답게 -죄책감 없이 - 더 사내답고 더 호전적인 국가로 연약한 민주주의를 대치하기 위해 행동하고 있었다. 그들과 함께 일하는 것은, 그가 자기 내면에서 찾아내지 못한 것을, 사내다운 집단 안에서 찾기 위한 것이었다.

그런데, 이제 그는 잡혀 있는 소녀를 깨워 데려가야 했다. 그녀가 반항하면 그가 어떻게 할까? 어느 때보다도 그는 근력이 없는 것을 슬프게 느꼈다. 그는 주눅이 들지는 않았다. 거꾸로 그녀의 아름다움과 그녀의 분명하고 완전한 건강이 그에게는 인상적이었다. 그는 자신에게서 최대한의 의지력을 찾아야 하고, 그녀가 복종하지 않으면 따르도록 승복시키기 위해 그녀가 아주 많은 것을 무릅써야 한다는 것을 속삭여 말하면서도 견고한 어조로 그것을 나타내어야 한다.

그는 그녀를 깨우려고 조금 흔들었다. 그녀는 평온하게 자고 있었다. 그는 좀 더 세게 흔들었다. 효과가 없었다.

엘자는 자주 잠에 잘 들지 못하는 축에 들었지만, 그녀의 잠은 마침내 자기 시작했다 하면 아주 깊게 곯아떨어지는 것이었다. 이번에는 하루 종일 모험을 하고 납치한 사람들이 벌인 반나절 동안 계속되는 시끄러운 소음, 잡담, 웃음소리가 나고, 알 수 없는 곳에서 몇 시간 동안이나 혼자 감시당해서 평소보다 훨씬 더 일찍 잠드는 것이 어려웠다. 부족한 잠을 이제 유다르게 깊은 잠으로 벌충했다.

자신에게 열쇠가 있는 차가 집 앞에 있다는 것을 기억하고 있어서, 제랄도는 그 차 안으로 그녀를 옮기기로 했다. 그녀가 깊이 잠들어 있는 것이 차라리 나았는데, 그녀의 반항을 그리 두려워하지 않아도 되기 때문이었다. 그런데 어이할꼬! 아무리 용을 써도, 그녀의 몸무게를 당해 내지 못했다. 그녀를 일으키는 것조차 안 되었다.

자신에게 불만인 그는 겁이 나서 두목에게 전화하기로 했다.

"물론 네가 그녀를 일으킬 수야 없겠지."

두목이 멸시하듯 말했다.

"그녀를 깨워. 찬 물을 써. 때려, 귀에다 고함치든지 그녀 가까이 있는 큰 소리 나는 물건을 마루로 떨어뜨려. 뭐든지 찾아 봐, 그런데, 이런 빌어먹을, 그녀를 깨워, 제3지점으로 최대한 일찍 태우고 와. 그리고 나한테 전화해, 도착하자마자."

제랄도는 상황이 썩 즐겁지 않다고 생각했다. 그는 운동의 목적을 위하여 백작 부인의 납치를 이용하자고 제안했으면서 현명하게 행동하는 것인지 거듭거듭 스스로에게 물었다. 그런데 사실은, 대답이 그렇지 않다는 것이어서 그에게 전혀 도움이 되지 않았다.

한숨을 쉬며 그는 시원한 물을 가지러 갔다.

엘자의 반응은 즉각적이고 직설적이었다. 그녀는 완전히 깨지 않았다. 반쯤 잠이 깬 그녀는 어떤 훼방꾼이 자기의 즐거운 꿈을 방해하고 있다는 것을 느껴, 방해를 제거해야 한다고 생각했다. 그녀는 그의 귀에 정확히 한 번 타격을 가하여 제랄도를 멀리 밀어내는 데 일초도 걸리지 않았다. 넘어지면서 소년은 머리를 벽에 너무 세게 부딪쳐 기절했다. 더 이상 귀찮게 하지 않았다. 엘자는 기쁘게 다시 꿈을 빠져들었다.

* * *

조직의 비밀어로 '제3지점'이라는 곳은 그리 멀지 않았다. 30분이 넘도록 아무런 정보를 받지 못한 두목은 걱정하기 시작했다. 그는 자기 일을 떠날 수 없었지만 전화는 할 수 있었다. 그래서 그는 조직의 일원인 아담을 불러 잡힌 여자와 제랄도가 있는 아파트로 가서 그곳에서 무슨 일이 일어나고 있는지 보고 최대한 돕도록 시켰다.

아담이 문에서 초인종을 눌렀을 때 그 소리가 제랄도를 깨웠지만 그는 일어났을 때 발이 덜덜 떨렸다. 그는 문을 열었다.

"무슨 일이야? 대장이 화났어!"

아담이 말했다.

제랄도는 이상한 표정으로 그를 바라보았다. 그는 몸이 좋지 않아 오른쪽으로 넘어지려고 했다. 아마도 귀를 맞았기 때문일 것이다.

"그녀가 너를 때렸니?"

아담은 제랄도의 얼굴을 바라보며 말을 할 수 있는 힘을 잃은 것 같다는 것을 깨달았다.

"그녀가 도망쳤어?"

"때렸어? 예. 도망갔어? 글쎄, 나는 모른다. 그것은… 아마도…"

아담은 화내면서 안절부절못하며 모든 문을 쾅 닫고 아파트로 뛰어 들어갔다.

"저기 그녀가 있구나."

그가 소리쳤다.

"그녀는 자고 있어. 그녀를 깨우자."

그녀의 얼굴을 세게 때리며, 그는 제랄도를 감탄하게 만들었다. 제랄도는 그런 아름다운 얼굴에 그 같은 힘을 감히 사용하지 않을 것이다. 효율성의 관점에서 방법은 정확했다. 엘자는 반쯤 깨어났다.

반쯤 잠이 들어 자신이 어디에 있는지, 자신에게 무슨 일이 일어나고 있는지 잘 몰랐지만 아담의 권위 있는 태도에 깊은 인상을 받고 그녀는 다시 옷을 바로 입고 함께 나갔다. 그녀가 도망갈 위험이 없도록 제랄도는 그녀의 팔을 아주 꼭 껴안았고, 그녀의 몸에 닿은 느낌은 그를 안절부절못하게 하는 감정을 불러일으켰다. 그녀는 백작 부인보다 더 상냥하고 사랑스러워 보였다. 그것이 아담에게도 분명했는가? 아마도 그가 동료에게 "내가 그녀를 붙잡게 두십시오. 당신은 신뢰할 수 없습니다." 라고 딱딱하게 말을 하는 것을 보니까.

Ĉapitro 10

La enketo pri la grupo terorista "Movado por Vera Eŭropo" rapide antaŭeniris. La policano, kiun ni ekkonis en la komenco de ĉi tiu rakonto, estis sekvinta la telefoninton samloke priparolitan – temis ĝuste pri tiu Superŝuto, kiun nomis la radia mesaĝo – ĝis domo, kies uzon fare de la fi-fama movado la polico jam suspektis.

Iom poste, la polico kaptis Janon Superŝuton, dum li laboris super eksplodaĵoj. Ĝi samtempe trovis tie dokumentojn kun informoj, bedaŭrinde nur partaj, pri la diversaj ejoj, kiujn la grupo uzis por sia fi-cela agado. En la tago, kiam disvolviĝis la ĵus raportitaj okazaĵoj, ĝi decidis aranĝi kaptilon ĉe la punktoj 2 kaj 3. Ĝi do submetis la du koncernajn domojn al konstanta

gardado. Oni povas bedaŭri, ke ĝi tiucele uzis virojn tuj rekoneblajn kiel policanojn, sed kion fari? Ĝi ne disponis aliajn por tia tasko.

제10장　테러 단체 수사

테러 단체 [참유럽운동]에 대한 수사는 급진전되었다. 이 이야기의 초장에서부터 우리가 알고 있는 경찰관은 앞에서 말한 같은 장소에서 전화 건 사람(라디오 뉴스가 이름붙인 그 '수페르슈토'에 딱 맞는)을, 악명 높은 그 운동단체가 쓰고 있는 것으로 경찰이 이미 의심하고 있던 집까지 뒤쫓고 있었다.

조금 뒤, 경찰은 폭발물 작업 현장에서 일하고 있는 야노 수페르슈토를 붙잡았다. 경찰은 동시에 아쉽게도 일부분뿐이지만 그 단체가 사악한 목표의 운동에 쓰고 있는 다양한 장소에 관한 정보가 담긴 문서를 찾아냈다. 보도된 사건 소문이 막 퍼지고 있던 날, 경찰은 제2지점과 제3지점에 함정을 설치하기로 결정했다. 경찰은 두 관련 건물을 상시 감시하기로 정했다. 경찰이 그 목적으로 경찰관이라고 남들이 바로 알아차릴 수 있는 남자들을 쓴다는 것이 꺼림칙했으나 어쩌겠나? 경찰은 그 임무에 딴 사람들을 쓰지 않았다.

Ĉapitro 11

Tiun saman matenon, Cipriano kaj Elvira trankvile fordonis sin al sia tagkomenca manĝo, kiu simple konsistis el pano kaj kafo. Ili estis trankvilaj, ĉar ili sukcesis kuraĝigi kaj esperigi sin reciproke. Ekde kiam ili havis la ideon edzinigi la grafinon al Pipelbom, ili konstante transiris de unu mensa stato al alia: sinsekve venis espero, paco, dubemo, dubo, timo, malespero, reespero, ktp senfine. Nun ili troviĝis en trankvila momento.

Ke, la antaŭan matenon, ilia filino Elza, misprenita por la grafino, estis kaptita de bando da teatraj amatoroj, kaj poste, dumnokte, de la Movado por Vera Eŭropo, ili tute ne suspektis.

Elza ja estis tre sendependa persono, kaj ŝi vivis memstaran vivon. Ŝi laboris hejme, en la unuĉambra apartamento, kie ŝi loĝis en la urbo, kaj se ŝi ofte vizitis la gepatrojn, ŝi ĝenerale ne diskutis siajn planojn kun ili. Ili kutimis vidi ŝin alveni por pasigi kun ili la vesperon, kaj foriri tre frue la sekvantan matenon sen ilin veki por diri «ĝis revido». Tiu agmaniero ne vere plaĉis al ŝia patrino, sed tiu iom post iom kutimiĝis al ĝi. Elza ja estis, alirilate, plej agrabla filino.

Kiam, la hieraŭan matenon, Cipriano rimarkis, ke la ĉevalo promenas sola sur proksima herbejo, li ne speciale miris. Plurfoje jam okazis antaŭe, ke la pordo de ĝia ejo mem malfermiĝis: la ŝlosa sistemo estis malmoderna kaj ne bone funkciis, kaj ne al ĝia riparo oni dediĉos monon en la nunaj cirkonstancoj. Ili sciis, ke la grafino estis iom malsana tiun hieraŭan matenon, kaj ke ŝi pro tio ne povis fari sian kutiman promenon surĉevale, sed ĉar ili ne aŭskultis la radion, ili sciis nenion pri la forkapto de l' «grafino». Cetere, ankaŭ s-ino Montokalva nenion sciis: ŝi travivis unu el siaj zorgotempoj, kiam ŝi forŝlosis sin for de la ekstera mondo, sen ia ajn emo interesiĝi pri la tagnovaĵoj, egale ĉu skribaj aŭ parolaj. La alveno de policano do ege mirigis Ciprianon kaj Elviran.

Policano Petro Molnja estis suspektema. En tia afero, oni emas suspekti la servistojn: ja estas facile, al fiulo, ilin subaĉeti. Kaj nun, tiuj du diris, ke ili scias nenion pri la fakto, ke la Movado por Vera Eŭropo alsaltis kaj perforte forkondukis grafinon Montokalva. Ĉu tio estis verŝajna?

Al la policano la afero estis tiel plene konata, ke li eĉ ne rimarkis la miskomprenon: dum li parolis pri la antaŭa tago, Cipriano kaj Elvira fuŝkomprenis kaj parolis pri la hodiaŭa. Iliajn respondojn li trovis pli kaj pli nekredindaj.

"Konduku min al la dormĉambro de la grafino," li fine diris.

Pezpaŝe, Cipriano, montrante la vojon, tien kuniris kun li. La ĉambro estis senhoma, kiel ĉiumatene tiuhore.

Ili ne estis de tre longe en ĝi, kiam aŭdiĝis la voĉo de Elvira:

"Cipriano! Telefono!"

La ĉefservisto pardonpetis kaj foriris. Petro Molnja ne sentis sin tre bone. La interparolo kun Cipriano kaj ties edzino rezultigis nenion utilan. Ankaŭ la ideo viziti la dormĉambron de la grafino ne aperis tre fruktodona. Kaj li krome malbonhumoris pro tio, ke, vekiĝinte tro malfrue, li ne havis la tempon matenmanĝi.

Sur tableto troviĝis karafo enhavanta ruĝecan trinkaĵon. Li proksimigis la nazon al ĝi. «Vino kun fruktosuko, aŭ io simila», li pensis. Kiel homo malbonhumora pri sia laboro, soifa pro nematenmanĝo, povus subpremi la deziron provi trinkaĵon laŭvide ŝatindan? Li trinkis iom da ĝi. Ĝi estis bona. Rifuzi al si duan glason estus nehome. Li decidis home agi.

Stranga gajeco lin envenis. Komforta brakseĝo invitis lin al si. Estis saĝe sidi por pripensi diversajn aspektojn de la mistera malapero, pri kiu li enketis. Li eksidis, kaj lasis la pensojn disflugi diversdirekte. Li sentis fortan emon ridi, kiun li tute ne komprenis. Estas agrable senti, ke bona humoro revenas. Li servis sin je tria glaso.

Cipriano apenaŭ finis sian telefonadon, kiam nova vizitanto prezentiĝis: ĵurnalisto, kiun la novaĵo pri la forkonduko de la grafino venigis kastelen.

"Mi ne scias, ĉu mi rajtas respondi al viaj demandoj," deklaris Cipriano. "Policano estas ĉi tie, serĉas postsignojn, esploras. Li ne diris al mi, ĉu mi rajtas doni informojn al ĵurnalisto. Mi iros demandi lin."

"Mi iras kun vi," diris la ĵurnalisto, kaj, post kiam Cipriano sciigis, ke la policano troviĝas supre, en la dormĉambro de la grafino, li preparis sian fotoaparaton. Oni neniam tro fotas en similaj cirkonstancoj.

Kiam li eniris la ĉambron, li tiel miris, ke li ne fotis tuj. En brakseĝo falsidis viro, kiu videble dormis, kaj kies dormon, ne malpli videble, ĝojigis sonĝo evidente plaĉa. Dormante, la viro ja ridis kelksekundan ridon, kiu subite haltis kaj post momento rekomenciĝis, kaj tiel ripete, kun plej miriga aspekto.

"Ĉu tiu...?"

"... estas la policano, jes, sinjoro," respondis Cipriano. "Mi tute ne komprenas, kio okazis al li."

La ĵurnalisto fotis.

"Kion vi scias pri la malapero de la grafino?" li demandis.

"Nenion, sinjoro. Ŝi foriris kiel kutime sur sia ĉevalo. Mi scias nenion pli."

"Ĉu via edzino ion scias?"

"Tute certe ne."

"Kiel vi reagis al la informo, ke la Movado por Vera Eŭropo planas mortigi la grafinon, se oni ne liberigos kelkajn membrojn de tiu bando, kiujn la polico arestis?"

"Mi tute ne scias pri tio, sinjoro. Pardonu min, sed mi ne aŭskultis la radion ĉi-matene."

"Nu, bone, mi vidas, ke el vi mi tiros nenion sciindan. Mi tion raportos en mia papero, kiel ĉiujn aliajn detalojn, kiujn mi ĉi tie notis. Ne valorus la tempoperdon, ke mi restu plu ĉi tie.

Mi rapidas for, kun tiu mirinda foto pri la maniero, laŭ kiu nia polico laboras. Ĝi certe alportos ĝojon kaj gajecon al multaj familioj. Ĝis revido, amiko mia, ĝis revido, kaj dankon pro viaj informplenaj respondoj!"

Post apenaŭ minuto li jam sidis en sia aŭto kaj veturis for. Tra la fenestro de la grafina

dormĉambro, Cipriano, skuante nekomprene la
kapon, rigardis lin foriri.

* * *

"Cipriano! Kion vi faras en mia dormĉambro
ĉi-hore?"
La grafino ĵus eniris.
"Ho! Sed... sed... kiu estas tiu rolulo?"
"Policano, via grafina moŝto. Mi estis ĉi tie, ĉar li
petis min konduki lin al via dormĉambro."
"Policano, ĉu? Kial policano volas viziti mian
dormĉambron?"
"Mi ne scias precize, via grafina moŝto. Li enketas."
"Li enketas, ĉu vere? Pri kio do?"
"Pri via malapero, via grafina moŝto."
"Mia malapero! Cipriano, ĉu vi perdis la kapon? Kiel
vi povas paroli pri mia malapero, dum mi staras
antaŭ vi?"
La dormantan policanon ekskuis kelksekunda rido.
Apenaŭ Cipriano malfermis la buŝon por respondi al
sia mastrino, jam ŝi interrompis lin:
"Li ridas dormante, via enketisto. Li ridas dormante.
Strange! Antaŭ-hieraŭ vespere, mi endormiĝis tre
rapide kaj dum la tuta nokto havis tre ridigajn
sonĝojn. Krome, mi ankoraŭ dormis la sekvantan

matenon, kiam mi devus rajdi. Rigardu, Cipriano, rigardu la karafon!"

"Jes, via grafina moŝto, kion pri la karafo?"

"Ĝi estis multe pli plena. Tiu ulo trinkis el ĝi. Ĉu vi scias, kial mi eĉ ne buŝtuŝis vian trinkan specialaĵon hieraŭ vespere, kontraŭe al mia ege longa kutimo, kaj malgraŭ ĝia superboneco?"

"Ne, via grafina moŝto."

"Ĉar mi suspektis, ke pro ĝi mi havis tiun strangan ridoplenan dormon, kiu faris, ke hieraŭ matene mi ne rajdis surĉevale. Cipriano, strangaj aferoj okazas en mia kastelo. Mi... Nu, kio estas tiu bruo?"

Ambaŭ iris al la fenestro por rigardi eksteren. Pluraj aŭtoj alvenis sinsekve, kun brua rapidego.

"Strange! Plu strangaĵoj! Rigardu ilin! Kion diable ili venas serĉi ĉi tie? Nu, vi konas vian devon, Cipriano, iru demandi, kion ili deziras."

"Jes, via grafina moŝto."

Peze, malrapide, kiel ĉiam, la ĉefservisto direktis siajn paŝojn al la nov-alvenintoj.

Post kelkaj minutoj, li frapis al la dormĉambra pordo, kaj, aŭdinte la jeson de l' mastrino, respekte eniris.

"Estas ĵurnalistoj, via grafina moŝto."

"Ĵurnalistoj, ĉu? Kion ili deziras?"

"Ili petas informojn pri via malapero."

"Ankaŭ ili! Kio estas tiu ŝerco? Ĉu vi scias?"

"Nenion, via grafina moŝto. Ĉu vi akceptos ilin?"

"Jes. Mi tuj iros. Ili deziras informiĝi, ĉu ne? Nun informiĝos mi. Atendigu ilin en la sidĉambro kun la blua murpapero. Dume, mi forprenos ĉi tiujn rajdovestojn kaj surmetos ion taŭgan."

* * *

Kiam la grafino eniris en la sidĉambron, da ĵurnalistoj estis almenaŭ dudek.

"Silenton, gesinjoroj, mi petas," laŭtis Cipriano. "Ŝia moŝto grafino Montokalva konsentas alparoli vin."

Anstataŭ silento venis dekoj da demandoj:

"Ĉu vi sukcesis liberigi vin mem?"

"Ĉu la polico..."

"Kiel ili vin suferigis?"

"Gesinjoroj, gesinjoroj, bonvolu silenti," ripetis Cipriano.

"Mi..." komencis la grafino, sed ŝi ne povis daŭrigi pro la bruo.

Tamen, post momento, sentante, ke la grafino ne restos, se ili ne sin tenas pli ĝentile, la ĵurnalistoj eksilentis.

"Gesinjoroj," reparolis la grafino. Ŝi uzis por ili la tonon, per kiu ŝi siatempe komunikis kun ĉevalo aparte malobeema. "Bonvolu diri al mi, kio okazis. Vi estas ĵurnalistoj, vi do estas la fakuloj pri informado, la homoj, kiuj scias ĉion pri ĉio. Mi bezonas scii. De kie venas la granda ŝerco, ke mi malaperis? Kiam diable mi malaperis, ne sciante tion mem?"

Dek voĉoj samtempe aŭdigis sin, sed nelonge.

"Silenton!" kriis la grafino, kun tono tiel obeiga, ke la multvoĉa, miksparola aro submetiĝis:

post unu sekundo, aŭdiĝis nur la falo de notlibro, kaj ĉiuj sentis, kvazaŭ eĉ tiu pardonpetus.

"Nur unu respondu al unu demando," ŝi aldonis, pli mallaŭte. "Vi, sinjoro, diru al mi: de kie venis la ideo, ke mi malaperis?" Kvazaŭ pistolo, ŝia montrofingro direktiĝis al senhara longnazulo, kiu sidis en la unua vico.

"Nu, sinjorino... eee... sinjorino grafino... eee... sinjorino la grafino, mi... mi eksciis per komunikaĵo el la Tutlanda Inform-Agentejo, kiel verŝajne ĉiuj, kiuj ĉi tie sidas."

"Dankon. Ĉu vi eksciis sammaniere?" ŝi ĉi-foje demandis brunharan virineton.

"Jes, sinjorino."

"Kion enhavis tiu komunikaĵo?" ŝi demandis tre junan viron, kiu aspektis kiel studento.

Lia voĉo estis neatendite malalta.

"Ke la Movado por Vera Eŭropo – t.e. unu el tiuj terorist-grupoj, ĉu vi konas? – kaptis vin kaj liberigos vin nur, se oni ellasos el polica gardo tri anojn de la movado, kiuj estis antaŭ nelonge arestitaj."

Dum trafis la ĉambron silento tiel «dika», ke oni preskaŭ povis tuŝi ĝin, la grafino ĉirkaŭrigardis la grupon per okuloj plenaj je malvarma fajro.

"Kaj neniu havis la ideon telefoni ĉi tien por kontroli, ĉu tiu informo estas ĝusta!" ŝi koleris.

"Nek la inform-agentejo, nek la polico, nek la ĵurnalistoj mem!"

Ĉiuj ĵurnalistoj kaj fotistoj mallevis la kapon. Ili konsciis, tro malfrue, ke ĉiu mesaĝo venanta el la Movado por Vera Eŭropo tiom impresas – ĉar ĉiuj ĝis nun estis plej timinde seriozaj – ke la ideo, ke io ĉi-foje fuŝiĝis, fakte trafis neniun, antaŭ ol la grafino parolis.

"Nu, gesinjoroj, ĉi tio sufiĉos. Vi povas raporti, ke mi estas same libera hodiaŭ, kiel mi hieraŭ estis, ke neniu min alsaltis aŭ kaptis, kaj ke mi konsilas al la informaj rondoj, same kiel al la polico, alifoje interesiĝi pri la ĝusteco de ricevataj mesaĝoj. Vi povas foriri, gesinjoroj."

Eklumis dekoj da fulmoj. Ili signis, kiom gravas al ĉiu reveni al la ĵurnal-oficejo kun foto de tiu malbela, sed efike aŭtoritata persono. Tiu-momente, ŝia digneco, ŝia volo esti obeata imprese elstaris. Ŝi estis admirinda, kaj la fotoj tion montros al la admirema publiko.

Obeeme, raportistoj kaj fotistoj eliris el la kastelo, kaj disveturis for.

* * *

"Nu, Cipriano, kion mi povus fari koncerne tiun trinkaĵon? Iu drogo troviĝas en ĝi, ĉu ne?"

"Mi havas ideon, via grafina moŝto, se vi permesos. Mia filino Elza, kiel vi eble scias, havas amikon, tre proksiman amikon, kiu estas kemiisto. Eble mi povus peti lin analizi la trinkaĵon kaj komuniki siajn trovaĵojn al vi."

"Tre bona ideo, Cipriano. Mi plene konsentas. Kaj nun, bonvolu peti Elviran veni ĉi tien. Ŝi helpu vin porti ĉi tiun policanon al alia ĉambro, mi diru: al la roza. Kiam mi ŝanĝis miajn vestojn antaŭ ol iri malsupren al tiu stranga ĵurnalista kunsido, ĉi ties ĉeesto min ĝenis. Mi sentos min pli bone, se la dormĉambro denove estos nur mia."

제11장   백작 부인의 기자회견

그 같은 날 아침, 지프리아노와 엘비라는 간단히 빵과 커피로 차리는 하루 시작 식사를 편안하게 하고 있었다. 그들은 서로 격려하고 희망을 주었기에 마음이 편안했다. 그들은 백작 부인을 피펠봄에게 중매할 생각을 지니고 있을 때부터 서로 한 마음이었다. 희망, 평화, 조바심, 의심, 두려움, 실망, 희망 되찾음, 그 밖의 것들이 끝없이 뒤따랐다. 이제 그들은 편안했다.

전 날 아침, 백작 부인으로 오인된, 그들의 딸 엘자를 연극동호회가 납치하고, 그 뒤 밤새 [참유럽운동]이 다시 납치한 것을 부부는 전혀 모르고 있었다. 엘자는 정말 매우 자립적인 인물이어서 독립된 생활을 하고 있었다. 그녀는 시내의 방 하나짜리 아파트인 집에서 일하고, 자주 양친을 뵈러 왔으며, 대체로 그들과 자기 계획을 나누지 않았다. 그들은 딸이 함께 저녁을 보내려고 와서 다음 날 아침 그들을 깨워 작별 인사를 하지 않은 채 아주 일찍 떠나는 것을 늘 보아 왔다. 부모에게 그런 행동 방식이 섭섭하기는 했지만 조금씩 그것에 익숙해졌다. 엘자는 정말 그것 말고는 상냥하기 그지없는 딸이었다.

어제 아침 말이 홀로 가까운 풀밭에서 왔다 갔다 하는 것을 보았을 때, 지프리아노는 별로 놀라지 않았다. 마구간의 문이 저절로 열린 일은 전에 여러 번 있었다. 잠금장치가 구식이고 잘 동작되지 않았는데, 지금은 돈 들여 고칠 형편이 아닐 것이다.

그들은, 백작 부인이 어제 아침 몸이 좀 좋지 않아, 그 때문에 늘 하던 승마 산책을 할 수 없는 것이라고 알고 있었는데, 라디오를 듣지 않아 백작 부인이 납치된 것에 대해 아무것도 모르고 있었다. 게다가, 몬토칼바 백작 부인도 아무것도 몰랐다. 그녀는 바깥세상과 격리되어, 신문이건 인편이건 그 날 뉴스에 대해 아무런 관심이 없이, 사사로운 것만 걱정하는 데 약간의 시간을 보냈다. 경찰관이 오자, 지프리아노와 엘비라는 크게 놀랐다.

경찰관 페트로 몰냐는 의심이 많았다. 그런 사건에서는 하인들을 의심하게 마련이다. 그들을 악한이 매수하기는 아주 쉽다. 그래서 지금 두 사람이 말하기를, [참유럽운동]이 습격하여 강제로 몬토칼바 백작 부인을 데려갔다는 사실에 대하여 아무것도 모른다고 하는 것이었다. 그게 그럴싸한 말이기나 한가?

경찰관에게 그 사건은 너무 충분히 알려져, 오해하고 있다는 것조차 그는 알지 못했다. 그가 어제 낮에 대하여 말하고 있는 동안, 지프리아노와 엘비라는 오해해서 오늘 일을 말했다. 그들의 대답에서 그는 갈수록 믿을 만하지 못함을 발견했다.

"백작 부인의 침실로 안내해 주십시오"

그는 마침내 말했다.

무거운 걸음으로 지프리아노는 길을 가리키면서 경찰관과 함께 거기에 갔다. 방에는 늘 아침 그 시간에 그러하듯 아무도 없었다.

그들이 그 방에 있는지 얼마 되지 않아 엘비라의 목소리가 들렸다.

"지프리아노, 전화 왔어요"

집사는 양해를 구하고 떠나갔다. 경찰관 페트로 몰냐는 기분이 안 좋았다. 지프리아노 와 그의 아내와 나눈 대화에서 쓸 만한 정보를 얻지 못했다. 백작 부인의 방을 보겠다는 생각도 소득이 없었다. 게다가 너무 늦게 잠이 깨어, 그는 아침 먹을 시간이 없었다.

작은 탁자 위에 불그스름한 마실 것을 담은 유리병이 있었다. 그것에 코를 대 보았다. '과일즙을 탄 포도주거나 그 비슷한 것'이라고 생각했다. 일과 아침 굶은 목마름으로 기분이 안 좋은 그가, 보기에 탐나는 마실 것을 보고 마시려는 욕망을 누를 수 있을까? 그는 그것을 조금 마셨다. 맛이 좋았다. 둘째 잔을 거절하는 것은 자신에게 인간적이지 못하지. 그는 사람답게 행동하기로 했다.

색다른 기쁨이 그의 안에 들어왔다. 안락한 팔걸이의자가 그를 초대했다. 그가 수사하고 있는 기이한 실종의 다양한 양상을 깊이 생각해 보려면 앉는 것이 현명했다. 그는 앉아서 갖가지 방향으로 생각이 날아 흩어지도록 그대로 두었다. 그는 세게 웃고 싶은 충동을 느꼈다. 그 충동은 전혀 이해할 수 없는 것이었다. 좋은 기분이 되살아나는 것을 느끼는 것은 유쾌했다. 그는 석 잔째 마셨다.

지프리아노가 통화를 겨우 끝냈을 때 새 방문자가 나타났다. 백작 부인이 납치된 것에 관한 소식을 성에까지 오게 한 기자였다.

"기자님 질문에 제가 대답해도 될지 모르겠습니다,"

지프리아노가 말했다.

"경찰관이 여기서 흔적을 찾고 있고 조사를 하고 있습니다. 그는 저한테 기자에게 정보를 주어도 된다고 말하지 않았습니다. 가서 물어 보겠습니다."

"함께 가겠습니다."

기자가 말하고 지프리아노가 경찰관이 이층 백작 부인 침실에 있다고 알려 주자 사진기를 챙겼다. 비슷한 경우에 사진을 너무 많이 찍지는 않는다.

그가 침실에 들어갔을 때 너무 놀라 바로 사진을 찍지 못했다. 팔걸이의자에 잠든 사내가 퍼져 있고, 그의 잠은 더 볼 수 없이 뚜렷이 즐거운 꿈을 즐기고 있었다. 자면서, 사내는 정말 몇 초 웃고, 그 웃음을 갑자기 멈추고, 얼마 뒤 다시 시작했으며, 가장 놀랄 만한 양상으로 그렇게 되풀이했다.

"저 이가?"

"……. 경찰관 맞습니다. 기자님."

지프리아노가 대답했다.

"저는 그 이가 왜 저러는지 도무지 알 수 없습니다."

기자는 사진을 찍었다.

"백작 부인의 실종에 대해서 아시는 게 있습니까?"

기자가 물었다.

"전혀 모릅니다. 기자님. 백작 부인께서는 평상시처럼 말 타고 나가셨습니다. 더는 모릅니다."

"선생 부인은 뭘 아실까요?"

"전혀 모르죠."

"[참유럽운동]이 경찰에 잡힌 조직원 몇을 풀어 주지 않으면 백작 부인을 죽이겠다는 소식을 듣고, 선생은 어떠했습니까?"

"저는 전혀 모르는 일입니다, 기자님. 미안합니다만, 저는 오늘 아침 라디오를 듣지 않았습니다."

"뭐, 좋습니다. 선생에게서는 알아낼 만한 게 없는 듯 하군요. 저는 여기서 기록한 다른 상세한 모든 것을 우리 신문에 보도할 겁니다. 제가 여기 남아서 시간을 낭비할 가치가 없을 듯 하군요. 저는 우리 경찰이 일하는 방식에 관한 그 놀랄 만한 사진을 가지고 서둘러 가겠습니다. 그 사진은 많은 가족들에게 즐거움과 기쁨을 분명히 줄 것입니다. 안녕히 계세요 선생님, 안녕히 계세요. 선생의 정보 가득한 답변에 감사합니다."

일 분도 채 안 돼 그는 벌써 자기 차에 앉아 바로 출발했다. 백작 부인 침실의 창을 통해, 지프리아노는 이해하지 못하겠다는 듯이 고개를 흔들면서, 그가 가는 것을 보았다.

* * *

"지프리아노! 이 시간에 내 침실에서 뭐 하는 거야?"

백작 부인이 바로 들어왔다.

"아! 그런데……. 그런데……. 저 작자는 누구야?"

"경찰관입니다. 마님. 그가 침실로 안내해 달라고 해서 제가 여기 있었습니다."

"경찰관? 왜 경찰관이 내 침실을 보고 싶어 해?"

"정확히는 모릅니다, 마님. 조사하고 있답니다."

"조사한다고, 정말이야?, 그럼 뭘 조사해?"

"마님의 실종입니다, 마님."

"내 실종! 지프리아노, 자네 머리통이 제 자리에 있는 거야? 내가 자네 앞에 있는데, 어떻게 내 실종에 대해 말할 수 있나?"

자고 있는 경찰관은 몇 초 동안 웃으면서 흔들거렸다. 여주인에게 대답하려고 입을 떼려는 데, 벌써 그녀가 말을 잘랐다.

"자네 수사관이 자면서 웃네. 그가 자면서 웃어. 이상하지! 그저께 저녁, 나는 아주 빨리 잠들어 밤새도록 아주 웃기는 꿈을 꾸었지. 게다가 나는 승마해야 할 이튿날 아침에도 아직 자고 있었어. 쳐다 봐, 지프리아노, 유리병을 봐!"

"예, 마님, 유리병이 어때서요?"

"유리병은 가득 채워져 있었어. 저 자가 그걸 마셨구먼. 내 오랜 버릇과는 반대로, 그리고 그것이 아주 맛좋은데도, 왜 내가 어제 저녁 자네의 특별한 마실 것에 입조차 안 댔는지 알아?"

"모릅니다. 마님."

"왜냐면 저것 때문에 그 이상한 웃음이 나오는 꿈을 꾸고 어제 아침에는 말도 타지 못했기 때문이야. 지프리아노, 이상한 일이 우리 성에서 일어나고 있어. 난……. 음, 저 시끄러운 소리는 뭐야?"

둘은 밖을 내대보려고 창 쪽으로 갔다. 차 여러 대가 줄줄이 시끄럽게 속도를 내며 왔다.

"이상하네! 이상한 일이네! 저 사람들 봐! 도대체 여기서 무얼 찾으려고 오는 거야? 봐, 당신 할 일을 알지, 지프리아노, 그들이 뭘 원하나 가서 물어봐."

"예, 마님."

언제나처럼 무겁게 천천히 집사는 새로 들어오는 사람들 쪽으로 걸어갔다.

몇 분 뒤 그는 침실 문을 두드린 뒤, 여주인의 허락하는 소리를 듣고 공손하게 들어왔다.

"기자들입니다. 마님."

"기자들? 그들이 뭘 바라는데?"

"그들은 마님의 실종에 관한 정보를 알려달라고 합니다."

"그들도! 이 헛소리는 뭐야? 자네는 아는가?"

"아무것도 모릅니다. 마님. 그들을 보시겠습니까?"

"그래. 내 곧 갈게. 그들이야 정보를 바라지 않겠어? 지금 나도 정보를 들을 거야. 푸른 벽지 바른 응접실에서 기다리게 해. 그 동안 난 이 승마복을 벗고 적당한 걸 입을 테니까."

* * *

백작 부인이 응접실에 들어와 보니, 기자가 거의 스무 명이었다.

"조용히들 해 주십시오, 기자님들, 부탁드립니다." 지프리아노는 크게 말했다. "몬토칼바 백작 부인께서 여러분에게 말씀하시기로 동의하셨습니다."

조용히 하는 대신에 질문 수십 개가 쏟아졌다.

"자력으로 탈출에 성공하셨습니까?"

"경찰은……."

"범인들이 어떻게 부인을 괴롭혔습니까?"

"신사숙녀 여러분, 여러분, 조용히 좀 해 주십시오"

지프리아노가 되풀이 말했다.

"나는……." 백작 부인이 말하기 시작했으나 시끄러워서 계속할 수 없었다.

그렇지만 잠깐 뒤 그들이 점잖게 하지 않으면 백작 부인이 남아있으려 하지 않으리라는 것을 기자들이 느끼면서 조용해졌다.

"여러분,"

백작 부인은 다시 말했다. 그녀는 유달리 말썽부리는 말과 소통하던 어조를 기자들에게 써 먹었다.

"무슨 일이 일어났는지 내게 말씀해 주세요 여러분은 기자들이고 정보에 대한 전문가, 모든 일에 대해 모든 것을 아는 사람들입니다. 나는 알 필요가 있습니다. 내가 사라졌다는 그 엄청난 헛소문이 어디서 왔습니까? 나도 모르게 내가 도대체 언제 실종되었습니까?"

열 사람 말소리가 한꺼번에 들렸지만 길지 않았다.

"조용히 하십시오!"

백작 부인이 소리를 높였는데, 어조가 단호해서, 여러 목소리에다 뒤죽박죽 섞인 말들로 떠들썩하던 무리를 복종케 했다. 일 초 뒤에는 공책 떨어지는 소리까지 들리고 모두가 떨어뜨린 그 사람이기나 한 듯 송구스러워했다.

"한 질문에 한 사람만 답변하세요."

더 큰 소리로 그녀는 덧붙였다.

"여러분, 제게 말해 주세요. 제가 실종되었다는 생각이 어디에서 나왔나요?"

권총처럼 그녀의 검지는 첫 줄에 앉아있는, 대머리에 코가 긴 이에게 향했다.

"음, 백작 부인……. 에……. 백작 부인. 에……. 백작 부인, 저는……. 저는 여기 앉은 모든 이들처럼, 온나라통신사의 보도로 처음 알게 되었습니다."

"고맙습니다. 귀 기자도 같은 방식으로 알았습니까?"

그녀가 이번에는 갈색머리 젊은 여기자에게 물었다.

"예, 부인."

"그 보도는 어떤 내용이었습니까?"

백작 부인은 학생 같아 보이는 퍽 젊은 기자에게 물었다.

그의 목소리는 생각보다 낮았다.

"참유럽운동이 - 즉 테러단체의 하나인 것, 아시지요? - 부인을 납치했는데, 얼마 전에 체포된 그 단체 회원 세 사람을 경찰이 석방해야만, 풀어 주겠다는 것이었습니다."

침묵이 너무 두껍게 실내에 깔려 누구라도 그것을 느끼고 있는 동안, 백작 부인은 차가운 불길이 가득한 눈으로 기자 집단을 둘러보았다.

"그런데 이 보도가 맞는 것인지 확인하려고 여기로 전화해 볼 생각을 아무도 못했다니요!"

그녀는 골을 냈다.

"통신사도, 경찰도, 기자들마저도!"

기자와 사진기자 모두가 고개를 숙였다. 참유럽운동에서 나오는 모든 메시지는 매우 인상적이라 – 지금까지 그것들은 매우 두려울 만큼 진지해서 – 백작 부인이 말하기 전에는 뭔가 잘못되었다는 생각을 사실 전혀 하지 않았다는 것을, 너무 뒤늦게 깨달았다.

"자, 신사숙녀 여러분, 이만하면 충분하겠습니다. 당신들은, 제가 어제 그랬듯이 오늘도 자유롭게 지내고 있다는 것, 아무도 저를 습격하고 납치하지 않았다는 것, 그리고 입수된 정보의 정확성에 대해 경찰과 마찬가지로 언론계에 다음부터는 관심을 기울이도록 제가 충고한다는 것을, 보도할 수 있습니다. 신사숙녀 여러분, 가셔도 좋습니다."

플래시가 열 번쯤 터져, 못생기기는 했지만 권위가 팍 서는 이의 사진을 가지고 언론사로 돌아가는 것이 중요함을 모두에게 알리고 있었다. 그 순간에, 사람을 굴복시키는 그녀의 품위, 그녀의 의지는 아주 훌륭했다. 그녀는 찬양받을 만했고, 찬양하기 좋아하는 대중에게 사진이 그것을 보여 줄 것이다.

순순히, 기자와 사진기자들이 성에서 나가 차를 타고 흩어졌다.

* * *

"자, 지프리아노, 그 마실 것을 어떻게 했으면 좋겠소? 뭔가 마약이 들어 있지 않을까?"

"마님, 허락하신다면 제 의견을 말씀드리겠습니다. 제 딸 엘자가, 마님께서도 아마 아시다시피 친구, 아주 가까운 남자 친구가 있는데, 화학기술잡니다. 아마 그 마실 것을 분석해서 밝혀낸 것을 알려달라고 부탁할 수 있을 겁니다."

"아주 좋은 생각이야, 지프리아노. 전적으로 동의해요. 그러면 지금 엘비라를 이리 오라고 해요. 자네가 이 경찰관을 다른 방, 분홍빛 방으로 옮기는 것을 돕도록 내가 말할 게요. 내가 이상한 기자회견을 하려고 아래로 내려오기 전에 옷을 갈아입을 때, 이 사람이 있어 귀찮았어. 내 침실이 다시 나만의 방이 되면, 기분이 나아질 거야."

Ĉapitro 12

Kio malfaciligas la taskon de rakontisto, tio estas la fakto, ke tiom da okazaĵoj disvolviĝas samtempe. Pardonpete, via raportisto, kara leganto, invitas vin nun reveni pli fruen, al tiu momento, kiam la grafino, nescia pri la strangaj informoj, kiuj rondiris pri ŝi, plezure rajdis en la bon-odora naturo matena, aŭ – se vi preferas – al tiu tempo, kiam policano Petro Molnja mirigis Ciprianon kaj Elviran per siaj neatenditaj deklaroj. Kaj ni vidu, kion faras tiumomente la sekretario de s-ro Pipelbom. Certe vi ne dubas, ke tiu ide-riĉa junulo ne restis sen-aga. Vi pravas. Lia menso laboris, fakte, kun ega rapideco. Lia penso-irado disvolviĝis proksimume jene:

«La grafino estis kaptita de amatora teatra grupo, al kiu mi mem proponis tiun taskon, post diskuto kun Diana Belpar, el la edziĝ-agentejo. Se el tiu grupo ŝi transiris al la teroristoj de la Movado por Vera Eŭropo, tio indikas, ke unu el la membroj de tiu movado troviĝas ankaŭ en la grupo teatra.

«Kiu tiu povas esti? Nur tiu, sub kies gardo la grafino restis dumnokte. Kaj nur unu persono povas helpi min trovi, kiu li estas: Diana Belpar.»

Tiel okazis, ke Johano refoje vizitis Dianan. Je la dua vizito, ŝi aperis al li eĉ pli bela.

"Jes," ŝi diris, post kiam li raportis pri sia pripensado. "Vi pravas. Estas simple. Ni lasis ŝin ĉe Ĝeraldo, kiu ekde la unuaj planoj proponis al ni sian apartamenton, aŭ, pli ĝuste, la tre grandan apartamenton, kiun li portempe disponas, neniu komprenis, pro kiaj cirkonstancoj.

Ĝeraldo estas tiu negranda malfortulo, kun aspekto ne tre sana, kiun vi vidis, kiam vi renkontis kelkajn el la grupo por klarigi niajn rolojn, ĉu vi memoras? Li havas strangajn ideojn pri politiko kaj socio. Nun, aŭdinte viajn klarigojn, mi ne dubas, ke povas esti nur li."

Johano do, bedaŭre sed necese, forlasis Dianan, kaj aŭtis al la ĝeralda adreso. Li havis radion en sia aŭto kaj la senmira voĉo de la parolisto subite ĵetis al liaj oreloj plej saltigan informon:

la grafino estas tute libera kaj bonfarta, kaj ŝajnas, ke la teroristoj mispaŝis, kaj erare kaptis iun alian. Kvankam la afero ankoraŭ ne estas tute certa, la rondoj ĝenerale bone informataj emas opinii, ke la persono, kaptita pro fuŝo, estas iu Elza Najtingál, filino de ges-roj Cipriano kaj Elvira Najtingál, servistoj ĉe grafino Montokalva.

"Nu, nu, nu, nu," Johano laŭte diris al si, kun tiu

admirinda mensa potenco, kiun li elmontris en ĉiaj cirkonstancoj, eĉ plej streĉaj, "nu, nu, nu, nu."

Alveninte antaŭ la pordo de la apartamento, kies adreson Diana donis al li, li sonorigis, kun koro forte batanta. Ĉar neniu responde venis, li – ĉiam praktikema – simple provis, ĉu la pordo estas ŝlosita. Mire, li konstatis, ke ne.

Kompreneble, li miris. Kiel li povus scii, ke, elirante el la apartamento, Ĝeraldo, dolore tuŝita de la malestimaj vortoj de Adamo, kaj ankaŭ sub la efiko de la bato, kiun li ricevis, paŝis duonsvene, kaj tute forgesis ŝlosi la elirpordon?

Johano do eniris, vizitis la apartamenton, sed trovis nenion, kio ebligus scii ion ajn pri la mistero. Li serĉis kaj serĉis senrezulte.

Senkuraĝigita, li staris ĉe la fenestro, rigardante eksteren, kaj sin demandis, kion fari plue, kiam aŭto alvenis kaj lokis sin ĉe libera loko ĉe-trotuara ne malproksime de la domo, sed ĉe la kontraŭa flanko de la strato.

Li rigardis ĝin senpense dum sekundo, sed baldaŭ lia atento streĉiĝis. Du junaj viroj eliris el la aŭto kaj ilia sinteno estis observinda. Dum la unua ŝlosis la antaŭan pordon maldekstran, la dua tiris el la veturilo junulinon, al kiu, videble, tiu perforto ne plaĉis. La unua knabo baldaŭ alvenis apud sian kunulon, kaj per io, kio, kvankam kaŝita, certe estis pistolo, devigis la junan

virinon eliri. Kun streĉita intereso, Johano rekonis unu el la du viroj: estis tiu Ĝeraldo, pri kiu li ĵus parolis kun Diana Belpar, kaj kiun li renkontis, kiam li klarigis al la teatra grupo la planitan grafin-kapton.

Lia intereso iĝis eĉ pli granda, kiam la knabino hazarde levis la vizaĝon. Li tuj rekonis ĝin:

ŝian foton li vidis ĉe Cipriano Najtingál, kiam li tiun vizitis, por scii kiel eble plej multe pri la grafino kaj aranĝi la ludotan savon fare de s-ro Pipelbom. Sen ia dubo, ŝi estis tiu Elza, pri kiu la radio ĵus informis.

제12장　비서 요하노의 계획

이야기꾼의 임무를 힘들게 하는 것은 많은 사건이 한꺼번에 전개되는 것이다. 송구스럽지만 당신의 보고자는, 친애하는 독자여, 자신에 대해 떠돌고 있는 이상한 소문을 모르는 백작 부인이 아침의 향기 좋은 자연 속에서 즐겁게 승마하고 있던 그 순간으로, 또는 경찰관 페트로 몰냐가 예기치 못한 말로 지프리아노와 엘비라를 놀라게 하던 때로, 좀 더 거슬러 되돌아가도록 그대를 초대한다. 그리고 피펠봄의 비서가 그때 무슨 짓을 했는지 보자. 분명히 당신은 이 아이디어 많은 젊은이가 가만히 있지 않았다는 것을 의심하지 않는다. 당신 생각이 맞다. 확실히 그의 머리는 엄청난 속도로 일했다. 그의 생각은 대충 다음과 같이 전개되었다.

#백작 부인은 연극동호회가 납치했다. 내가 결혼중매회사의 디아나 벨파르와 의논한 뒤 그들에게 의뢰한 것이다. 백작 부인이 참유럽운동 테러분자들에게 넘겨졌다면, 그 운동 단체의 회원 중 하나가 연극동호회 회원이기도 함을 뜻한다.

#그가 누굴까? 백작 부인을 밤새 감시한 자일 수밖에 없다. 그리고 그가 누구인가 알아내는 데에 나를 도울 수 있는 사람은 딱 한 사람이다. 디아나 벨파르.

그래서 요하노는 디아나를 다시 찾아갔다. 두 번째 보니 그녀는 더욱 예뻤다.

"그래요,"

그가 생각한 바를 이야기하니까, 그녀가 말했다.

"당신 말이 옳아요. 간단해요. 우리는 그녀를 제랄도에게 맡겼는데, 그는 첫 계획 때부터 우리한테 자기 아파트인지, 더 정확히는, 어떤 사정인가는 모르지만 임시로 쓸 수 있는 곳인지, 아주 큰 아파트를 제안했어요. 제랄도는 몸집이 크지 않은 약골이고, 당신이 우리 역할을 설명하려고 회원 몇을 만났을 때 본 바로는 썩 건강한 것 같지 않았던 것, 기억나세요? 그는 정치와 사회에 관해 이상한 생각을 하고 있어요. 이제 당신 설명을 들으니 그 사람일 수밖에 없다는 것이 확실해요."

요하노는 그래서 섭섭하지만 어쩔 수 없이 디아나와 작별하고 제랄도의 주소로 차를 몰았다. 차에 있는 라디오를 틀었더니 아나운서가 차분한 목소리로 그의 귀에 펄쩍 뛸 만한 뉴스를 마침 전했다: 백작 부인이 완전히 자유롭게 잘 있으며, 테러분자들이 실수로 어떤 다른 이를 납치한 듯 하다는 것이었다.

사건 전모는 아직 확실히 밝혀지지 않았지만, 대체로 떠도는 소문은 실수로 납치된 사람이 몬토칼바 백작 부인의 하인들인 지프리아노와 엘비라 나이틴갈 부부의 딸 엘자 나이틴갈이라는 쪽으로 기울었다.

"이런, 이런, 이런. 이런,"

요하노는 경탄할 만한 자제력으로 혼잣말을 큰소리로 했다. 더 심할 경우라도, 그는 언제나 "이런, 이런, 이런, 이런." 일 뿐이었다.

디아나가 준 주소의 아파트 문 앞에 와서, 그는 두근거리며 초인종을 울렸다. 아무도 응답하지 않자, 그는 - 늘 실제적인데 - 문이 잠겨 있기는 하나 하고 그냥 열어 보았다. 놀랍게도, 잠기지 않았다.

물론, 그는 놀랐다. 아파트에서 나갈 때 제랄도가 아담의 멸시하는 말에 마음이 심히 상했고, 게다가 엘자에게서 얻어맞은 충격으로 반쯤 얼이 빠져 걸으면서, 출입문 잠그는 것을 깜빡 잊은 것을, 요하노가 어찌 알 수 있었겠는가?

요하노는 그래서 들어가 아파트를 보았지만, 의문을 풀어 줄 어떤 것도 찾아낼 수 없었다. 그는 성과 없이 살피고 살폈다.

풀이 죽은 그가 창가에 서서 밖을 내다보고, 무엇을 더 해야 할까 스스로에게 묻고 있을 때, 자동차가 도착하여 그 집에서 멀지 않은 길 반대쪽 인도 곁 빈 자리에 주차했다.

그는 생각 없이 얼핏 그것을 보았으나 곧 주시하게 되었다. 젊은 남자 둘이 차에서 나왔는데 그들의 태도는 눈길을 끌 만했다. 첫째 사내가 왼쪽 앞문을 잠그는 동안, 둘째 사내가 차에서 젊은 여자를 끌어내는 것을 보니, 그녀가 강제로 마지못해 내리는 것을 대뜸 알 수 있었다. 첫째 사내가 동료 곁으로 바로 와서, 감추기는 했지만 분명히 권총인 듯 한 것으로 젊은 여자를 나가게 강요했다. 요하노는 두 사내 가운데 하나를 알아보게 되자 더욱 흥미가 끌렸다: 제랄도였다. 그에 대해서는 조금 전에 디아나 벨파르와 이야기했으며, 계획된 백작 부인 납치에 대하여 연극동호회에 설명할 때도 그를 만났다.

아가씨가 우연히 얼굴을 들었을 때, 그의 관심은 더욱 커졌다. 그는 바로 그녀를 알아보았다. 그녀의 사진을 지프리아노 나이틴갈의 집에서 보았다. 요하노가 백작 부인에 대해 되도록 많이 알려고, 그리고 피펠봄 씨가 실행할 구출극을 짜려고, 지프리아노를 방문했을 때였다. 틀림없이 그녀는 방금 라디오가 보도한 엘자였다.

Ĉapitro 13

En tiu sama minuto, Elvira, la patrino de Elza, aŭskultis la radion, dum ŝi riparis vestojn por la grafino. Terurate ŝi aŭdis ĝin diri:

"La ĉefo de la Movado por Vera Eŭropo ĵus telefonis al la Tutlanda Inform-Agentejo novan komunikaĵon, el kiu rezultas, ke la fakto, ke ne grafinon tiu grupo kaptis, sed simplan laborulinon, neniel ŝanĝas la decidojn pli frue alprenitajn. Por tiu movado, la vivo de simpla knabino ne valoras malpli ol la vivo de grafino. Se la polico rifuzos liberigi Paŭlon Kravatan, Sofian Molinor kaj Janon Superŝuton, Elza Najtingál mortos, kaj pri tio respondecos la aŭtoritatoj de la lando."

Unu el la karakterizoj de la Movado por Vera Eŭropo – bona aŭ malbona laŭ la vidpunkto – estis ĝia kapablo agi tre rapide. Apenaŭ la informo pri la eraro rilate la kaptitan virinon diskoniĝis, jam la Movado faris decidon, kaj sciigis ĝin al la tuta publik-opinio.

Por Elvira, la bato estis preskaŭ mortiga. Ŝi neniam imagis antaŭe, ke simila aventuro povus okazi en simpla vivo, kiel la ŝia. Ne mankis multo, ĝis ŝi svenus.

제13장　엘비라의 충격

그 즈음에, 엘자의 어머니 엘비라는 백작 부인의 옷을 고치다가 라디오를 들었다. 그는 그 내용에 소스라치게 놀랐다.

"참유럽운동 두목은 방금 온나라통신사에 새로운 발표문을 전화로 전했습니다. 그 단체가 납치한 대상이 백작 부인이 아니라 평범한 직장여성이라는 사실이, 이미 앞서 취한 결정을 바꾸게 하지는 않는다는 것입니다. 이 운동 단체로서는 평범한 아가씨의 생명이 백작 부인의 생명보다 못하지 않다고 합니다. 경찰이 파올로 크라바탄, 소피아 몰리노르, 야노 수페르슈토를 풀어 주지 않으면, 엘자 나이틴갈이 죽을 것이며, 그에 대한 책임은 국가 당국에 있다고 합니다."

참유럽운동의 특징 중 하나는 - 관점에 따라 좋게 보든 나쁘게 보든 - 행동능력이 무척 빠르다는 것이었다. 여자를 잘못 납치한 실수가 막 알려지려 할 때, 벌써 그 운동 단체는 결정을 내리고 그것을 모든 언론에 알렸다.

엘비라는 거의 죽을 만큼 큰 충격을 받았다. 그녀는 자기 삶처럼 단순한 삶에 그런 일이 일어나리라고 전에 전혀 상상도 해보지 않았다. 그녀가 기절하기까지 더 많이 필요한 것은 없었다.

Ĉapitro 14

Dume, en la urbo, Johano trafenestre plu rigardis la du junulojn. Perforte kondukante Elzan kun si, ili direktis siajn paŝojn al la domo, en kiu li troviĝis. Li sin demandis, kial ili revenas kun ŝi al tiu apartamento.

La kialo, kiun kompreneble li ne povis koni, estis plej simpla. La policaj esploroj koncerne la Movadon por Vera Eŭropo pli kaj pli fruktis. Al la dokumentoj trovitaj en la hejmo de Jano Superŝuto aldoniĝis la tro-parolemo de Sofia Molinor, kaj tiel koniĝis pluraj el la kaŝejoj kaj kunvenejoj de la bando. Kiam Adamo kaj Ĝeraldo alvenis al la t.n. Punkto 3, kie ili devis kaŝi kaj gardi Elzan, ili vidis policanon stari sur la trotuaro kaj prave konkludis, ke la sekreto pri tiu loko estas malkovrita.

Ili tiam veturis al Punkto 2, sed refoje konstatis, ke la domon gardas viro suspektinde policaspekta. Demandate per telefono, la ĉefo respondis, ke ili reiru portempe al la apartamento de Ĝeraldo, ĝis li aranĝos pli bonan solvon al la problemo. Kvankam tiu apartamento estis rigardata plej riska – ĉar konata de la teatra grupo, kiun la polico certe pridemandos – ĝi estis nun pli bona ol nenio. Estis ja dube, ĉu la polico baldaŭ scios pri la rolo de la teatranoj: eĉ teatra, la kapto tamen estis neleĝa, kaj, plej certe, nek Pipelbom, nek lia sekretario, nek la anoj de la teatra grupo emos rapidi al la polico por rakonti pri si tiurilate. Krome, la ĉefo opiniis, ke post unu horo jam li povos telefoni al la du gardantoj, kien ili konduku Elzan, por ŝin teni plej sekrete.

Pri ĉio ĉi Johano evidente nenion sciis, sed tio ne ĝenis lian pensadon. La urĝa afero nun estis, ne starigi al si nerespondeblajn demandojn, sed agi kaj profiti la kelkajn sekundojn, dum la aliaj atendas trans la strato, ĝis okazos interrompo en la sinsekvo de aŭtoj, kaj ili povos trairi ĉi-flanken.

Ricevinte de la naturo rimarkindan kapablon problem-solvi, kiun li konstante pligrandigis uzadante ĝin ekde la infanaj jaroj, Johano tuj ekhavis agplanon en la menso. Li eliris el la apartamento, venigis al si la lifton, iris al la tuj supra etaĝo en tiu suprenportilo, kaj lasis ties pordon tute malfermita, tiel ke ĝi – la lifto – ne plu povis funkcii. Li tiam malsupreniris sur la ŝtuparo ĝis loko, de kie li povis rigardi la pordon de la apartamento kun minimuma risko esti vidata.

Li aŭdis la tri alveni ŝtupare, esprimante sian malkontentecon pri la liftopaneo.

Dum Ĝeraldo tiris el sia poŝo ringon kun ŝlosiloj, prenis la ĝustan kaj metis ĝin en la seruron, Adamo tenis Elzan firme ĉe la brako. La pistolo, kiun Johano antaŭe observis de la apartamenta fenestro, ne plu videblis. Verŝajne la bandanoj opiniis tro danĝera teni videblan armilon en normala apartamenta domo, kie iu ajn, irante al unu el la najbaraj loĝejoj, povus pasi kun des pli da tempo por rigardi, ĉar la lifto paneis kaj laŭŝtupara iro ĝenerale ne estas fulmrapida.

Preskaŭ kure, Johano desupris ĝis la interŝtuparo, kie la tri staris, kvazaŭ li ĵus eliris el la supra loĝejo.

"Elza! Vi ĉi tie! Kia bonŝanco!" li kriis. Kaj, sammomente, profitante la ekmiron de la aliaj, li hakbatis kun grandegaj forto kaj rapideco la manradikon de Adamo, kiu nur povis ellasi la brakon de Elza.

Ĝeraldo staris kun malfermita buŝo, kvazaŭ stultigita. Per du fulmrapidaj batoj, Johano igis ambaŭ junulojn perdi sian egalpezon.

"Venu, ni kuru," li flustris al la knabino, kaptante ties manon kaj tirante ŝin al la ŝtuparo.

Ambaŭ kuris malsupren.

La du aliaj ekrapidis post ili, sed la kelkaj sekundoj, kiujn ili perdis, estis decidaj. Jam Johano kaj Elza troviĝis sur la trotuaro, kaj la multaj homoj, kiuj pasis tie, malhelpus al la du bandanoj agaĉi.

Johano kaj Elza eniris kafejon tiel plenan je homoj, ke la loko estis tute sendanĝera. Ŝi ja bezonis tuj refortigilon.

Bedaŭrinde, Johano eraris pri unu punkto. Li estis certa, ke liaj du malamikoj ne povis vidi, kien Elza kaj li iris. Li opiniis ilin tro malproksimaj. Fakte, Ĝeraldo sukcesis rapidi pli ol Johano imagis, kaj li observis, kiun trinkejon la paro eniras. Tiu interesa scio estis por li nepre uzinda. Li taksis pli saĝa ne komuniki ĝin al sia kunulo, kiu troviĝis post li, kaj vidis nenion.

* * *

"Mi ne scias, kiel danki vin. Mi vere timis! Ili absolute ne volis kredi, ke mi ne estas la grafino, almenaŭ komence."

"Tamen, via aĝo..."

"Ili ne sciis pri la aĝo de la grafino. Ili sciis, ke ŝi pasos surĉevale en iu tre preciza loko, kie ili ŝin atendis, je tre preciza horo, ĉar la grafino havas tre firmajn kutimojn tiurilate. Ili sciis pli malpli, kiel ŝi estos vestita. Kaj tio sufiĉis. Kiam ili vidis, ke mi estas tre juna, ili okulumis unu al la alia kaj ridis

inter si, kvazaŭ la afero estus eĉ pli komprenebla. Sed ili rifuzis diri al
mi, pri kio temas."

Johano nenion diris, sed komprenis. La teatraj amatoroj, kiuj konsentis ludi la rolon de teroristoj, sciante, ke la celo estas doni al s-ro Pipelbom okazon aperi kiel savanto, opiniis tute verŝajna, ke la industriisto enamiĝis al tre juna kaj tre bela knabino.

"Sed kiel vi konis mian nomon? Kiel okazis, ke vi ĉeestis tiel ĝustatempe?" ŝi plu demandis.

"Nu, mi rekonis vin laŭ foto, kiun mi vidis ĉe viaj gepatroj, kiam mi informiĝis pri la kutimoj de s-ino Montokalva, por aranĝi la kapton."

"La kapton! Ĉu vi respondecas pri la afero?"

Miroplenaj okuloj rigardis lin, samtempe time kaj netime. Tuj Johano trankviligis ŝin. Li klarigis pri la edziĝ-plano, pri la fakto, ke la grafino volas, ke oni ne sciu, ke ŝi turnis sin al edziĝ-agentejo, kaj pri la neceso aranĝi savan intervenon fare de s-ro Pipelbom. Ial, li opiniis, ke ŝia patro raportis nenion al ŝi pri la ideo edzigi la industriiston al grafino Montokalva.

Kiam Elza ekridegis, estis lia vico rigardi ŝin mire. Kaj kiam ŝi ekparolis, li miris eĉ pli.

"Hahahaha! Ŝi neniam turnis sin al edziĝ-agentejo.

Haha! Ŝi eĉ ne suspektas, ke ŝi – hahahahaha! – ke ŝi «deziras» edziniĝi! Tio estas mia plano, mia ideo!"

"Via, ĉu vere? Kiel eblas? Kiel vi partoprenis en ĉi tiuj aranĝoj?"

Siavice, nun, rakontis ŝi. Ŝi klarigis, kiel ŝi sugestis al sia patro agi por konduki la grafinon al edzineco. Tiel agrable babilante, ili plenigis la mankojn en sia respektiva kompreno pri la aventuro. Ju pli ili parolis, des pli Johano sentis sin kortuŝita. Kiel erare li opiniis, ke Diana Belpar estas bela. Kompare kun Elza, ŝi apenaŭ vivetas. Eble la fakto, ke li tuŝis ŝian manon ekde la unua renkonto, ke li savis ŝin, ke ili travivis kune veran aventuron, al kiu ne mankis risko, eble ĉio ĉi efikis por rapidigi la movojn de lia koro.

Ĉiaokaze, ju pli li rigardis ŝin, ju pli li lasis la muzikon de ŝia voĉo trafi lian menson, des pli lin tenis sento nemiskomprenebla: se ĉi tio ne estas amo, amo simple ne ekzistas.

Strange: al Elza okazis io simila. Liaj longaj kruroj, kiujn ŝi apenaŭ povis sekvi dum la ĵusa forkuro, lia inteligenta vizaĝo, liaj fortulaj ŝultroj kaj la pli profundaj ecoj, kiujn malkaŝis la efektivigo de ŝajne facila, sed nekredeble efika savplano, estigis en ŝi tiun admiran amon, kiu plej kontentigas la nekonsciajn dezirojn de koro virina. Nikolao la kemiisto estis ŝiamense nun nur pala, senrealeca fantomo, pri kiu ŝi emis forgesi.

* * *

La Kafejo de la Nova Epoko, kie ili sidis, troviĝas ĉe stratangulo. Pro tio ĝi havas plurajn enirejojn, el kiuj unu troviĝas en mallarĝa flanka strato. Tiun Ĝeraldo bone konis. Li sciis, ke pasante tra ĝi, li povos diskrete ĉirkaŭrigardi antaŭ ol fari decidon.
Efektive, enirante tra la flankstrata pasejo, li tuj vidis, kie sidas la paro. Bedaŭrinde, estis tiom da homoj en la kafejo, ke li ne povis alproksimiĝi sufiĉe, por aŭdi, kion tiuj du diras. Li sidis ĉe iom fora tablo, kaj petis kafon. Trinkante, li observis ilin. Kun granda intereso li rimarkis, ke ambaŭ gejunuloj pli kaj pli atentas unu la alian, kaj elmontras ĉiujn signojn de tiu malsano – amo – kiun li ege malestimis. Li ridetis al si.
Kial li venis ĉi tien? Nu, en la antaŭaj horoj, li fuŝis multajn aferojn: li lasis la «grafinon» bati lin svenige; en sia miskonscia stato, li forgesis ŝlosi la apartamenton; li lasis miron superi la reagon de vera militanto kaj tiel ebligis la liberigon de la kaptita knabino.
Post ĉiuj ĉi fuŝoj, li serĉis rimedon kompensi la fian

impreson, kiun li faros al la ĉefo, kiam tiu eksciis. Kaj por trovi ideojn tiucele, certe estos utile spioni, kaj ekkapti kiel eble plej multe el la planoj de la «grafino».

Kompreneble, eniri la kafejon estis iom riske. Se unu el la du rekonus lin, eble ili vokus la policon. Sed, se li estos tre singarda, li certe sukcesos agi nevidate. Kaj nun, la ama sinteno de la du igis tiun opinion pli kaj pli certa.

En la Kafejo de la Nova Epoko, verdaĵoj estas taŭge lokitaj por dispartigi la ejon al pli plaĉaj, pli intimaj ejetoj. Sed la impreso de intimeco estas misa. Persono, kiu troviĝas sola kaj senbrua sur la ĝusta sidloko, kaj havas bonan aŭdon, povas plene kompreni, kio estas dirata je la alia flanko de la verdaĵa apartiga aranĝo.

Ĝoje Ĝeraldo konstatis, ke la maljuna sinjoro, kiu sidis tuj ĉi-flanke de la verdaĵoj, trans kiuj diskutas Johano kaj Elza, ekstaras kaj foriras. Senhezite li rapidis al ties loko, zorgante, ke la du gejunuloj ne rimarku lin. Li eksidis kaj turnis al la paro streĉitan orelon (fakte tiun, kiu ne suferis la boksadon fare de Elza). La interparolo estis eĉ pli interesa, ol li antaŭvidis.

* * *

"Mi ĝojas konstati, ke viaj interesoj estas la samaj, kiel la miaj," Elza estis diranta, kiam Ĝeraldo komencis subaŭskulti. "Ankaŭ por miaj gepatroj – kaj sekve por mi – realigi vian ideon gravegas."

"Jes, pri la ideo, pri la celo, ni plene konsentas. Restas nur aranĝi la rimedojn. La unua plano misfalis, sed ni certe povos elpensi duan, kiu sukcesos. Ĉu, ekzemple, ŝi ne havus ion tre valoran, juvelojn, aŭ ion similan, kion ni povus ŝteli, aranĝante la cirkonstancojn tiamaniere, ke mia..."

"Jes," ŝi interrompis, kun streĉita voĉo, "jes, jes, jes, jes. Bonega ideo. Perfekte, perfekte, perfekte. La zono! La sankta zono! La zono de Sankta Gaspardeto! Ĝi perfekte taŭgus."

"Kiel? Kio estas la zono de Sankta Gaspardeto?"

"Estas tre larĝa zono el mi-ne-scias-kiu teksaĵo, kiun laŭdire tiu sanktulo ricevis post ia speciala bonfaro komence de la mezepoko. Ĝin ĉiam konservis la familio Montokalva. Sur ĝi estas speco de surskribo, kiu estis tro malpreciza por povi prezenti ian ajn intereson, ĝis antaŭ nelonge, dank' al novaj fotaj metodoj, historiisto sukcesis igi ĝin tute legebla. Evidentiĝis, ke ĝi estas plej-plej grava por la historio de la religio en la frua mezepoko."

La vizaĝo de Johano esprimis dubemon.

"Mi min demandas, ĉu tio taŭgus. Ĝi ŝajnas al mi iom tro stranga por niaj celoj. Ĝi ne interesus la publik-opinion same kiel la kapto de la grafino. Ŝi do havos tute alian reagon ol..."

"Tute ne. Eble estus tiel, antaŭe. Sed nun ne plu. Pro la vizito papa."

"Kial vi enmiksas la papon en ĉi tiun aferon?"

"Atendu, vi tuj komprenos. Kiel vi scias, la papo decidis viziti nian landon. Nu, estas aranĝite, ke li venos al la kastelo de Montokalva por admiri la zonon de Sankta Gaspardeto."

"Ĉu vere? Kial?"

"Mi suspektas, ke la grafino aranĝis tion, por ricevi monhelpon de la ŝtato kun la celo rebeligi la disfalantan kastelon. Ŝi legis ie, ke la papo, kiam li estis juna, faris esplorojn kaj verkis studon pri Sankta Gaspardeto. Ŝi havas rilatojn kun iu en Vatikano – malnova konato de ŝia forpasinta edzo, miaopinie – kaj ŝi informis tiun pri la fakto, ke la plej grava memoraĵo pri tiu sanktulo troviĝas en la kastelo de Montokalva. La vatikanulo agis tre efike, kaj oni enskribis tiun viziton en la vojaĝplanon de la papo. Se la zono de Sankta Gaspardeto nun malaperus, estus mortiga katastrofo por ŝi."

"Bonege, perfekte, admirinde. Ĝuste tiun zonon ni devas ŝteli. Ĉu ĝi estas facile prenebla?"

"Por iu ekstera ĝi estas absolute neprenebla. Sed miaj gepatroj laboras en tiu kastelo ekde antaŭ ol mi naskiĝis. Mi vivis preskaŭ mian tutan vivon tie. Tiu kastelo ne havas sekretojn por mi. Kaj mi konas la ĝustan metodon, por kapti la zonon sen iu ajn risko, se nur mi sukcesos dormigi la grafinon sufiĉe profunde."

"Belege, belege. Aŭskultu, kara, necesas nun, ke mi rapidu al la oficejo. Mi kompreneble devas proponi la planon al vi-scias-kiu kaj diskuti pri kelkaj detaloj kun li. Mi... Ej!"

"Kio okazas?"

"Mi ĵus pensis. Ni tamen devus iri raporti vian savon al la polico! Tiu certe rompas al si la kapon por trovi rimedon scii, kie vi troviĝas, kaj kiamaniere savi vin!"

Ambaŭ eksplodis per rido.

"Vi pravas. Mi ne emas raporti alies misfarojn al la polico, ĉefe se temas pri junuloj, kiuj agas politike, sed ĉi tiuj estas danĝeraj. Dum ili haltis ie, veturigante min de unu loko al alia, la plej aĝa el ili iris telefoni al sia ĉefo kaj tiel eksciis, ke estas nun konate, ke mi ne estas la grafino. Sed ili tamen decidis uzi min kiel altvaloran garantiaĵon, kiun ili redonos nur, se kompense liberiĝos iliaj arestitaj amikoj. Ili ne hezitis paroli pri tio, ke ili mortigos min, se la aŭtoritatoj ne akceptos. Ĉu vi imagas, kiel terure estis aŭdi ilin paroli trankvile pri mia baldaŭa morto, kvazaŭ mi ne ekzistus?"

"Kompatinda!" Johano estis videble plej kortuŝita.

"Sed ne nur tio. Tiuj uloj respondecas pri multaj mortoj de homoj tute senkulpaj. Estas tiu movado, kiu eksplodigis bombon ĉe la sinagogo de Strato Kaloĉaja, kaj tiel mortigis multajn. Ni nepre devas raporti pri ili. Venu, ni iru policejen. Diable! Kie estas la kelnero? Tiuj ĉiam forestas, kiam oni deziras pagi kaj rapidi for. Dume, eble ni rapide decidu, kiel mi konigos al vi la lastajn aranĝojn pri la ŝtelo."

"Kial vi ne simple telefonus al mi?"

"Ni ne uzu telefonon. Estas suspektate, ke tiu movado havas anojn en la ĉefaj telefonaj oficejoj. Ni ne povas allasi, ke nia plano iĝu konata. Ili jam sufiĉe fuŝis la unuan kaptante de ni nian kaptitan grafineton."

"Kion do vi proponas? Kiam vi povos komuniki al mi la akcepton fare de via ulo, kaj la aliajn detalojn?"

"Postmorgaŭ tagmeze. Ĉu vi konas la restoracion, kiu staras apud la prahistoria muzeo? La Prapatroj, ĝi nomiĝas."

"Jes, mi scias, pri kiu vi parolas. Mi tie neniam

estis, sed..."

"Nu, mi invitas vin tagmanĝi tie kun mi. Je la dekdua. Tiuhore, ne estas multaj personoj, kaj ni povas trovi agrablan lokon. Ĉu taŭgos?"

"Tute bone."

Kiam la kelnero fine montriĝis kaj malrapide proksimiĝis al ilia tablo, Ĝeraldo diskrete forpaŝis. Li sciis pli ol sufiĉe, por taŭge agi, tiel ke la ĉefo rehavu estimon al li.

제14장   엘자의 구출

한 편, 시내에서는 요하노가 창문으로 젊은 두 남자를 줄곧 지켜보고 있었다. 강제로 엘자를 끌고, 그들은 요하노가 발견한 집 쪽으로 갔다. 그는 왜 그들이 그녀를 데리고 그 아파트로 되돌아 왔을까 궁금했다.

그 까닭은, 물론 그가 알 수는 없었지만, 아주 단순했다. 참유럽 운동 관련 경찰 수사가 갈수록 성과가 있었다. 야노 수페르슈토의 집에서 발견된 문서에 소피아 몰리노르의 떠벌림이 덧붙여져, 그 무리의 은신처와 모임 장소에서 그렇게 여러 가지를 알게 되었다. 아담과 제랄도가 엘자를 숨기고 지켜야 할 이른바 제3지점에 도착했을 때, 그들은 인도에 경찰관이 서 있는 것을 보고 그 장소에 대한 비밀이 드러났다고 맞게 결론 내렸다.

그들이 그 때 제2지점으로 차 몰고 갔지만 수상쩍게도 경찰로 보이는 사내가 그 집을 지키고 있음을 다시 한 번 확인했다. 전화로 물어 보니, 두목은 그가 더 나은 문제 해결 방안을 마련할 때까지 임시로 제랄도의 아파트로 돌아가 있으라고 대답했다. 그 아파트는 매우 위험해 보였지만 – 왜냐하면 경찰이 틀림없이 조사할, 연극동호회에게 알려진 건물이니까 – 이젠 이보다 나은 곳도 없었다. 경찰이 연극동호회원들의 역할에 대해 곧 알게 될지는 확실하지 않았다. 연극이라 해도 납치가 불법이기는 하지만, 확실한 것은, 피펠봄도, 그의 비서도, 연극동호회 회원들도, 그것과 관련해서 신고하려고 경찰에 달려갈 것 같지 않다는 점이다. 게다가 두목은 엘자를 가장 비밀스런 곳에 두려면 어디로 데리고 가야할지를 한 시간 뒤에 두 감시자들에게 전화로 알릴 수 있으리라고 보았다.

요하노는 사건의 전모에 대하여 분명히 아무것도 몰랐지만 그래도 생각을 멈추지 않았다. 긴급한 일은 이제, 무책임한 질문을 스스로에게 일으키는 것이 아니라, 행동하고, 그들이 길 건너편에서 이쪽으로 건너 올 수 있게 줄 이은 자동차 행렬이 끊어질 때까지 기다리고 있을 동안의 몇 초를 유용하게 쓰는 것이었다. 문제 해결 능력을 타고 나, 어린 시절부터 그 능력을 쓰면서 끊임없이 키워온 요하노는 마음속에 행동 계획을 곧장 세웠다. 그는 아파트에서 나와 승강기를 오게 해 그 올라가는 기계를 타고 바로 위층에 갔으며, 승강기 문을 활짝 열어 두어 더 운행되지 못하게 했다. 그리고 그는 눈에 띌 위험이 적으면서 아파트의 문을 잘 볼 수 있는 곳까지 층계로 내려왔다.

그는 그 세 사람이 안 움직이는 승강기를 탓하며 층계로 올라오는 소리를 들었다.

제랄도가 호주머니에서 열쇠고리를 꺼내 맞는 열쇠를 집어 자물쇠에 꽂는 동안, 아담은 엘자를 팔로 꽉 잡았다. 요하노가 전에 아파트 창밖으로 보았던 권총은 보이지 않았다. 패거리는, 승강기가 움직이지 않아 층계로 가는 것은 느리므로, 오가는 이웃 사람과 마주칠 시간이 많아질, 통상적인 아파트에서 눈에 띄게 무기를 지니는 것이 너무 위험하다고 생각한 듯했다.

요하노는 거의 달려서 위층에서 막 나온 것처럼 세 사람이 서 있던 층계참까지 내려갔다.

"엘자! 여기 있군요! 천만다행입니다!"

그는 소리쳤다. 그리고 동시에 사나이들이 놀라는 틈을 타서, 굉장한 힘과 빠르기로, 엘자의 팔이 놓여날 수 있게, 아담의 팔목을 도끼질하듯 때렸다.

제랄도는 바보가 된 듯 입을 벌리고 서 있었다. 번개 같은 두 번의 타격으로 요하노는 두 청년이 몸의 균형을 잃게 했다.

"와요, 달립시다."

그는 아가씨의 손을 잡아 층계로 끌어가면서 속삭였다. 둘은 아래로 달렸다.

다른 두 사람이 그들을 급히 추격했으나 그들이 잃은 몇 초가 결정적이었다. 이미 요하노와 엘자는 보도에 있었고 행인이 많아 악당 둘이 해코지하기가 어려웠다.

요하노와 엘자는 사람이 가득 찬 카페로 들어갔으며 그 장소는 전적으로 안전했다. 그녀는 정말 바로 뭔가 먹어야 했다.

아쉽게도, 요하노는 한 가지 점에서 틀렸다. 두 명의 적이 자신과 엘자가 어디로 가는지 볼 수 없다고 확신했다. 그들이 너무 멀리 있다고 생각했다. 사실 제랄도는 요하노가 생각한 것보다 더 빨라 두 사람이 어느 카페로 들어가는지 지켜보았다. 이 흥미로운 지식은 그에게 절대적으로 가치가 있었다. 그는 뒤에서 아무것도 보지 못한 동료에게 그것을 알리지 않는 것이 더 현명하다고 생각했다.

* * *

"어떻게 감사해야 할지 모르겠어요. 저는 정말 겁났어요! 저들은 제가 백작 부인이 아니라는 것을 절대로 믿으려 들지 않았어요. 적어도 처음에는."

"그래도, 아가씨 나이로는……."

"그들은 백작 부인의 나이를 몰라요. 백작 부인이 그들이 기다리는 아주 정확한 장소에 말을 타고 아주 정확한 시각에 지나간 다는 것은 알고 있었어요. 백작 부인이 이와 관련해서 매우 확고한 습관이 있었기 때문이죠. 그들은 백작 부인이 어떻게 옷을 차려 입는지를 어느 정도 알고 있었어요. 그 정도면 충분하지요. 그들은 제가 아주 어리다는 것을 보았을 때, 서로 눈을 끔뻑이고 일이 더욱 알 만하다는 듯이 자기들끼리 웃었어요. 그렇지만 무엇에 관한 것인지 제게는 말해 주지 않았답니다."

요하노는 아무 말도 아니했지만 이해했다. 테러분자 역을 맡는데 동의한 연극 동호인들은 피펠봄 씨에게 구원자로서 나타날 기회를 주는 것이 목표임을 알고 있어서, 기업가가 아주 젊고 예쁜 아가씨한테 빠져 있구나 하고 생각했을 법했다.

"그런데 제 이름을 어떻게 알고 계시지요? 어떻게 시간 맞춰 나타날 수 있었나요?"

엘자가 연이어 물었다.

"음, 저는 납치 계획을 세우려고 백작 부인의 습관에 대해서 들으러 아가씨 부모 집에 갔을 때 본 사진을 보고, 아가씨인 줄 알았습니다."

"납치라니요! 그 일에 책임을 지고 있어요?"

놀람 가득한 눈으로 그를 보았다. 두렵기도 했고 두렵지 않기도 했다. 곧 요하노는 그녀를 진정시키었다. 그는 결혼 계획에 대하여, 백작 부인이 결혼상담소에 의뢰했다는 소문을 내지 않고 결혼하고 싶어 한다는 사실에 대하여, 그리고 피펠봄 씨가 개입되는 구출극을 꾸며야 할 필요성에 대하여 설명했다. 어떤 이유에선지, 엘자의 아버지가 딸에게 기업가를 몬토칼바 백작 부인과 맺어주는 계획을 알려주지 않았다고, 그는 말했다.

엘자가 크게 웃었을 때, 이번에는 그가 그녀를 놀라는 눈으로 바라보았다. 그리고 그녀가 말을 시작하자, 더더욱 놀랐다.

"하하하하! 백작 부인은 중매 회사에 신청한 적이 없어요. 하하! 부인은 결혼하고 싶어 한 적조차 없어요. 하하하하. 그건 제 계획이고 제 구상이에요!"

"아가씨 계획, 정말이요? 어떻게 그럴 수가? 어떻게 아가씨가 이 일에 참여했나요?"

이제, 그녀가 이야기할 차례였다. 그녀는 어떻게 자기 아버지에게 백작 부인을 혼인으로 이끌기 위한 일을 하도록 제안했는지를 설명했다.

아주 유쾌하게 지껄이면서, 그들은 그 모험에 대하여 서로 이해하는 데 모자람을 다 채웠다. 이야기를 나누면 나눌수록 요하노는 감동했다. 디아나 벨파르가 예쁘다는 잘못된 생각을 어떻게 할 수 있었을까. 엘자와 비교하면, 그녀는 그저 겨우 살아 있는 것이다. 처음 만날 때부터 그녀의 손을 접촉하고, 그녀를 구하고, 그들이 함께 위험이 가득한 생생한 모험을 겪었다는 사실, 이 모든 것이 그의 심장을 빨리 뛰게 하였다.

어느 경우에도, 그녀를 보면 볼수록, 그녀의 목소리가 이루는 음악이 그의 마음을 맞추도록 놓아둘수록, 오해할 수 없는 느낌이 그를 더 많이 사로잡았다. 이 모두가 사랑이 아니라면, 사랑이란 한 마디로 존재하지 않는다.

이상하다. 엘자에게 비슷한 무엇이 일어났다. 방금 전의 도주 때 그녀가 겨우 따를 수 있었던 그의 긴 다리, 그의 지성적인 얼굴, 그의 장사 같은 어깨와, 쉬워 보이지만 믿기 어려울 만큼 효율적인 구출 계획의 실현성을 드러내는 최고의 깊은 품격이 여인의 무의식적인 심적 욕구를 잘 만족시키는 그 경탄스러운 사랑을 그녀 안에 생기게 했다. 화학자 니콜라스는 이제 그녀의 마음속에서 그녀가 잊는 경향이 있는 창백하고 비현실적인 유령에 불과했다.

* * *

그들이 앉아 있던 '새 시대' 카페는 거리모퉁이에 있다. 그래서 입구가 여럿이고 그 하나는 좁은 골목길 쪽에 있다. 그 문을 제랄도는 잘 알았다. 그 문을 지나가면서 결정을 내리기 전에 사방을 잘 살필 수 있다는 것을 그는 알고 있었다.

실제로, 거리 쪽 출입구를 통해 들어가면서, 그는 그 쌍이 어디 앉아 있는지 즉각 보았다. 유감스럽게도, 카페에는 사람이 많아서, 그들이 말하는 것을 듣기에 충분한 거리까지 가까이 갈 수 없었다. 그는 조금 먼 탁자에 앉아 커피를 청했다. 마시면서, 그들을 살폈다. 두 청춘 남녀가 점점 서로에 몰두하여, 그가 모멸해 마지않는 그 병 – 사랑 – 의 모든 증세를 보이는 것을, 대단히 흥미롭게 주시하였다. 그는 혼자 미소 지었다.

그가 여기에 온 이유는 무엇일까? 글쎄, 지난 몇 시간 동안 그는 많은 일을 엉망으로 만들었다. 그는 "백작 부인"이 그를 의식을 잃게 만들도록 내버려 두었다. 의식이 없는 상태에서 그는 아파트를 잠그는 것을 잊었다. 그는 진정한 전사의 반응을 놀라게 했다

그리하여 포로 소녀의 석방을 가능하게 하였다.

이 모든 실수를 겪은 후, 그는 사실이 알려졌을 때 두목에게 미칠 나쁜 인상을 만회할 방법을 찾았다. 그리고 이 목적으로 전략을 찾기 위해서는 "백작 부인"의 계획을 가능한 한 많이 파악하고 염탐하는 것이 확실히 유용할 것이다.

물론 카페에 들어가는 것은 조금 위험했다. 둘 중 하나가 그를 알아보면 아마 경찰에 신고할 것이다. 그러나 그가 매우 조심한다면 그는 분명히 들키지 않게 행동에 성공할 것이다. 그리고 이제는 두 사람의 다정한 태도가 그 의견을 더욱 확실하게 만들었다.

'새 시대' 카페에서는 녹색 물건을 적절하게 배치해 장소를 보다 쾌적하고 친밀한 공간으로 나눈다. 그러나 친밀감에 대한 인상은 결함이 있다. 오른쪽 좌석에 혼자 있고 조용하고 청력이 좋은 사람은 녹색 분리 장치의 반대편에서 말하는 것을 완전히 이해할 수 있다.

제랄도는 요하노와 엘자가 논의하고 있는 좌석 녹색 분리 장치 건너 이쪽에 앉아 있던 노신사가 일어나서 떠나는 것을 기쁘게 알아차렸다. 그는 두 젊은이가 자신을 눈치 채지 못하게 조심하면서 주저하지 않고 그 자리로 달려갔다. 그는 앉아서 귀(실제로 엘자에게 맞지 않은 귀)를 찡그려 그들에게 기울였다. 그 대화는 그가 예상했던 것보다 훨씬 더 흥미로웠다.

* * *

"선생님의 관심사가 나와 같은 관심사라는 것을 알게 되어 기쁩니다."

제랄도가 도청을 시작했을 때 엘자는 말하고 있었다.

"또한 부모님을 위해서도, 그리고 따라서 저에게도 선생님의 전략을 실현하는 것이 매우 중요합니다."

"예, 우리는 목표나 전략에 관해 전적으로 동의합니다. 남은 것은 수단을 마련하는 것뿐입니다. 첫 번째 계획은 실패했지만 우리는 성공할 두 번째 계획을 분명히 세울 수 있을 것입니다. 그런 식으로 상황을 조정하면서……예를 들어 그녀가 아주 귀한 것, 보석, 또는 우리가 훔칠 수 있는 것과 같은 무엇을 갖고 있지 않을까요?"

"네."

그녀가 긴장된 목소리로 말을 가로막았다.

"네, 네, 네, 네. 좋은 계획입니다. 완벽, 완벽, 완벽. 허리띠! 신성한 허리띠! 성 가스파르데토의 허리띠! 완벽하게 적당할 것입니다."

"어떻게? 성 가스파르데토의 허리띠가 무엇인가요?"

"무슨 종류의 천으로 만든 아주 넓은 띠가 있는데, 중세 초기에 어떤 특별한 은총을 받아 그 성자에게 주어졌다고 합니다. 그것을 항상 몬토칼바 가족이 보관했습니다.

그것에는 관심을 끌기에는 최근까지 너무 모호한 서명의 한 종류가 적혀 있었습니다. 역사가는 새로운 사진 기술 덕분에 완전히 읽을 수 있게 되었습니다. 중세 초기의 종교사에서 그것이 가장 중요하다는 것이 분명해졌습니다."

요하노의 얼굴은 의심을 나타냈다.

"적절한 것인지 궁금합니다. 우리의 목적에 좀 너무 이상한 것 같습니다. 여론은 백작 부인의 체포처럼 그리 관심을 갖지 않을 것입니다. 따라서 그녀는 완전히 다른 반응을 보일 것입니다."

"전혀 아닙니다. 아마 예전에는 그랬을 겁니다. 그러나 이제 더이상은 아닙니다. 교황님의 방문 때문입니다."

"왜 교황을 이 문제에 끌어들이는 겁니까?"

"기다려 봐요, 선생님은 이해할 겁니다. 아시다시피 교황은 우리나라를 방문하기로 결정했습니다. 글쎄, 그는 의 허리띠를 높이 평가해서 몬토칼바 성에 올 예정입니다."

"진짜요? 왜요?"

"백작 부인이 무너진 성을 복원할 목적으로 국가의 재정 지원을 받기 위해 마련한 것으로 의심됩니다. 그녀는 어딘가에서 교황이 젊었을 때 성 가스파르데토에 관한 연구를 하고 글을 썼다는 것을 읽었습니다. 그녀는 바티칸에 있는 누군가와 관계가 있습니다. 제 생각에는 그녀의 죽은 남편의 오랜 지인입니다. 그리고 그녀는 그 성인에게 가장 중요한 기념물이 몬토칼바 성에 있다는 사실을 그에게 알렸습니다. 바티칸 사람은 매우 효과적으로 행동했으며 그 방문은 교황의 여행 계획에 포함되었습니다. 지금 성 가스파르데토의 허리띠가 사라진다면 그녀에게는 치명적인 재앙이 될 것입니다."

"아주 좋아요, 만점입니다. 경탄할 만해요. 꼭 그 허리띠를 우리가 훔쳐야 합니다. 그건 쉽게 손에 넣을 수 있겠습니까?"

"외부인은 절대 손 댈 수 없어요. 그렇지만 제 부모님이 저 태어나기 전부터 그 성에서 일하고 계세요. 저는 거기서만 거의 살아 왔어요. 그 성은 제게 비밀이 없어요. 어떤 위험도 없이 그 허리띠를 훔치는 확실한 방법을 알고 있어요. 백작 부인을 깊이 잠들게 하는 데 성공한다면요."

"멋집니다, 멋져요. 들어봐요, 이제 나는 사무실로 빨리 가야 합니다. 저는 그 계획을 아가씨도 알고 있는 분에게 제안하고 그분과 몇 가지 상세하게 의논해야 합니다. 저는…… 아, 참!"

"뭔데요?"

"금방 생각났습니다. 그래도 아가씨 구출한 것을 경찰에 알리러 가야지요! 그 작자는 아가씨가 어디 있는지 그리고 어떻게 구해 내어야 할지 방도를 궁리하느라고 머리가 빠개질 거요!"

둘은 웃음을 터뜨렸다.

"맞아요. 남의 실수를 경찰에 신고하고 싶지는 않아요. 정치적으로 행동하는 젊은이들이 관련돼 있어서 그러는 건데 그들은 위험해요. 그들이 어딘가에서 멈추고 저를 여기저기로 싣고 다니는 동안 그들 중 나이가 많은 사람이 두목에게 전화하러 가고 그렇게 해서 제가 백작 부인이 아니라는 것을 이제야 알게 되었다는 것을 깨달았지요. 그런데도 그들은 대가로 체포된 친구들이 석방된다면, 그들이 유일하게 돌려줄 수 있는 비싼 담보물로서 저를 써 먹기로 결정했어요. 당국자들이 받아들이지 않으면 저를 죽이겠다고 그들은 주저 없이 말했어요. 마치 제가 없는 것처럼 제 즉각적인 죽음에 대해 그들이 태연하게 말하는 것을 듣는 것이 얼마나 끔찍했는지 상상이나 되세요?"

"많이 놀랐겠어요!"

요하노는 매우 감동된 게 뚜렷했다.

"그뿐만 아니지요. 그 작자들은 아무 죄도 없는 많은 사람을 죽인 죄가 큽니다. 칼로차가 거리의 유대교 회당을 폭파하여 엄청나게 많이 사람을 죽인 게 그 운동단쳅니다. 우리는 꼭 그들을 알려야 합니다. 자, 경찰서로 갑시다. 이런! 종업원이 어디 있지? 돈을 치르고 바삐 나가야 할 때면 꼭 그들이 없어집니다. 지금, 백작 부인 납치극 마지막 조치를 아가씨에게 제가 어떻게 알릴지를 될 수 있는 대로 빨리 결정합시다."

"선생님이 제게 그냥 전화하면 왜 안 되나요?"

"전화를 쓰지 맙시다. 이 운동단체는 중요한 전화국에 회원을 박아놓고 있습니다. 우리 계획이 알려지게 놓아두어서는 안 됩니다. 그들은 우리가 납치한 젊은 백작 부인을 빼앗아가면서 첫 계획을 꽉 망가뜨렸습니다."

"그럼 뭘 제안하시나요? 선생님 주인의 허락과 그 밖의 상세한 것들을 언제 제게 알릴 수 있을까요?"

"모레 정오에. 선사시대박물관 옆에 있는 음식점 알지요? '조상님들' 이라는."

"예, 알아요, 선생님이 말하는 음식점을 알아요. 거기에 가 본 적은 없지만……."

"그럼, 거기서 점심 먹기로 아가씨를 초대합니다. 열두 시에. 그 시각에는 사람이 많지 않아 쾌적한 자리가 있을 겁니다. 괜찮습니까?"

"아주 좋아요."

웨이터가 마침내 나타나서 그들의 식탁으로 천천히 다가오자, 제랄도는 조심스럽게 걸어 나갔다. 그는 두목의 신뢰를 다시 얻을 수 있을 만큼 적절히 활동하는 데 매우 충분할 정보를 알아냈다.

Ĉapitro 15

"Ho, Elza! Estas vi!" la juna kemiisto krietis. Ia ĝeno legiĝis sur lia vizaĝo.

"Jes. Bonan tagon, Nikolao. Estas mi," ŝi diris per nesekura voĉeto. Ankaŭ ŝi sentis embarason.

"Eniru, eniru do, mi petas," li diris kun la tono de persono, kiu esperas, ke la petato rifuzos la proponon.

"Jes."

Subite ŝi komprenis, kial ŝin ektenis sento iom stranga. Kompare kun Johano, Nikolao refariĝis nur amiko, bona amiko, eble, sed nenio pli. Ne estis dubo en ŝi, ke la amata estas Johano, kaj nur Johano. Ŝin ĝenis la penso, ke ŝi venas peti servon de viro, al kiu ŝi ne povos rilati honeste.

Enirante, ŝia rigardo senvole trafis ŝuojn. Plej neatendite, tie, sur la planko de la apartamenta enirejo, paro da ŝuoj kuŝis. Ŝuoj virinaj.

"Mi... mi..." provis paroli Nikolao.

"Vi ne estas sola, ĉu?" ŝi diris, scivoleme malfermante la sekvantan pordon.

Li aspektis, kvazaŭ ŝtelisto kaptita ĉe la freŝa faro.

"La ŝuoj..." li komencis singene, preskaŭ ĝeme.

"Doloris al mi la piedoj, kaj la ŝuojn mi demetis

- 158 -

envenante," sonis agrabla ina voĉo.

"Vi!" Elza kriis.

Ja ridetis al ŝi Lucia, flegistino, kiun ŝi plurfoje renkontis, kiam Nikolao estis en la hospitalo, kaj ŝi vizitis lin.

"Mi ne imagis, ke vi venos. Sed eble estas pli bone. Nikolao kaj mi decidis paroli kun vi. Mi flegis lin dum unu monato kaj duono, kiam la aĉa kemiaĵo, pri kiu vi scias, malsanigis lian haŭton. Mi enamiĝis al li, kaj li al mi. Pardonu, se mi sovaĝe, maldelikate agas, vin suferigante tiel subite, senprepare, sed... sed... Mi ne kuraĝus atendi pli, kaj... Sed kial diable vi ridas?"

"Ho, Lucia!" ŝi ekkriis, kaj kisis ŝin. "Kia feliĉo!"

"Kio okazas? Mi ne komprenas. Mi perfidas vin, kaj vi nomas tion feliĉo?" Nikolao demandis.

"Mi ne sciis, kiel diri la aferon. Mi... Ho Nikolao, mi tiom ĝojas, permesu, ke mi kisu ankaŭ vin." Ŝi lin kisis. Fratine.

"Ankaŭ mi miras," Lucia interrompis. "Ĉu vi bonvolus klarigi?"

"Vi scias, ke mi ĵus travivis teruran aventuron. Min savis junulo, la sekretario de s-ro Pipelbom, Johano. Li savis min. Mi... Kiel diri? Mi lin amas. Mi lin arnas tre forte. Kaj mi sentis min tiel kulpa rilate al vi, Nikolao!"

"Johano, la sekretario de s-ro Pipelbom, ĉu? Mi bone konas lin," Lucia voĉis. "Li havis strangan haŭtan reagon al kuracilo, kiun iu fuŝdoktoro donis al li, kaj mi flegis lin dum tuta semajno. Ŝajnis, ke li ekamis min."

"Iomete, eble, sed tio ne estis tre serioza," Elza respondis, kvazaŭ sindefende.

"Vi ne povus imagi, kiom viaj klarigoj min senpezigas," Nikolao diris.

"Ho jes," Elza respondis. "Ho jes, mi povas imagi. Mi sentas la samon. Mi tre ĝojas pri ĉio ĉi. Sed fakte, se diri la veron, Nikolao, mi venis submeti al vi fakan problemon."

"Ĉu vere?"

"Jes. Mi bezonus iom pli da tiu substanco, kiun vi havigis al mi, kaj kies efikon mi provis, tute sukcese, metante ĝin en la ŝatatan trinkaĵon de la grafino."

"Kial vi bezonas ĝin?"

"Ĉar mi bezonas refoje dormigi la grafinon."

Nikolao elmontris malĝojan vizaĝon.

"Finite," li simple diris.

"Finite, ĉu? Kion vi volas diri?"

"Ke estas finite. La afero ne plu funkcios. La grafino scias."

"Scias kion?"

"Ke ŝia trinkaĵo estis... kiel mi diru?... prizorgita."

"Kion! Kiel ŝi povus...?"

"Jes. Ŝi petis min analizi eltiraĵon de tiu trinkaĵo, kaj kompreneble..."

"Vi retrovis en ĝi vian specialan dormigilon!"

"Jes, tiun, kiu samtempe dormigas kaj rigidas."

"Kiel ŝi suspektis?"

"Mi ne scias. Via patro venis al mi, kaj diris, ke la grafino petas min analizi la trinkaĵon. Li diris, ke ĝis ŝi estos ricevinta la konkludojn de la analizo, ŝi ne plu trinkos ion similan."

"Kion vi diros pri viaj rezultoj?"

"Nu, mi rimarkis, ke estas ananasa suko en tiu trinkaĵo. Mi diros, ke tiu preciza ananaso ne estis pura, ne estis saneca, enhavis ian drog-efikan substancon, kiu agas dormige. Kion mi diru? Vi tamen ne volus, ke mi diru la veron, ĉu?"

"Ne, certe ne. Ĉu vi opinias, ke ŝi de nun rifuzos tion trinki?"

"Kiel scii? Verŝajne jes. Ŝi estis tre suspektema. Se ŝi tre ŝatas tiun fruktovinaĵon, eble ŝi rekomencos trinki ĝin, sed ne tuj, nur post kiam ŝia nuna impreso estos forsveninta."

"Vi pravas. Kaj tio devigas min ŝanĝi miajn planojn."

"Pri kio temas?"

Elza plene fidis Nikolaon. Eĉ se iliaj rilatoj aliiĝis,

kaj li transiris de la loko de plej-amato al tiu de amiko, tamen tio nenion ŝanĝis koncerne lian homan valoron.

Ankaŭ Lucian ŝi fidis. Ŝi sentis ŝin bonkora, aminda, homo, kiu prenas serioze siajn respondecojn kaj amikecojn, homo, kun kiu estas facile rilati. Ŝi ne dubis pri ties profunda sincereco, kaj honesteco.

Sekve, ŝi decidis rakonti la tutan aferon pri la espero edzigi Adrianon Pipelbom al la grafino kaj la planoj ellaboritaj tiucele. Kiom tio dezirindus por ŝiaj gepatroj, ankaŭ pri tio ŝi insistis.

"Sed kial vi volas dormigi la grafinon?" Nikolao demandis.

"Ĉar estas absolute necese por ŝteli la zonon de Sankta Gaspardeto."

"Kial?"

"Ĉar tiu zono troviĝas en ĉambro tuj apud tiu, kie ŝi dormas."

"Ĉu ĝi estas facile prenebla?"

"Jes kaj ne. La grafino tute ne fidas je t.n. sekursistemoj, sed ŝi estas tre inteligenta. La zono de Sankta Gaspardeto pendas sur muro; ĉiu, kiu tien eniras, tuj staras rekte antaŭ ĝi, sed ĝin ne rimarkas, ĉar la tuta aranĝo de la ĉambro estas tia, ke ĝi aperas kiel nur unu el multaj ornamaj teksaĵoj."

"Certe ĝi ne prezentiĝos tiel, kiam la papo venos ĝin admiri, ĉu?" diris Lucia, iom stulte.

"Kompreneble ne. Tiam ŝi certe aranĝos taŭgan elmontron. Sed nun ĝi troviĝas sur tiu muro. Eble mi estas la sola persono, kiu konas tiun sekreton."

"Kiel tio eblas?"

"Kiam la historiisto venis, kiu faris la fotojn kaj tiel igis la surskribon legebla, mi troviĝis en la apuda ĉambro, nevidata. Mi kaŝe vidis la grafinon ĝin depreni. Mi neniam suspektis antaŭe, ke tiu peco de teksaĵo estas io speciala."

"Mi tamen ne komprenas, kial vi bezonas dormigi la grafinon," Nikolao diris.

"Estas nature, ke vi ne komprenas: mi ne klarigis ĉion. Se ni ŝtelus ĝin dumtage, aŭ vespere, aŭ dum la grafino forestas − ekzemple kiam ŝi rajdas matene − ni ne sukcesus aranĝi la savon fare de s-ro Pipelbom en plej efikaj kondiĉoj. Ni devas agi nokte. Johano opinias tion necesa, kaj mi taksas lin prava."

"Ankaŭ mi tion pensas," Nikolao jesis. "La ŝtelo devas okazi tiamaniere, ke ŝi, repensante al ĝi poste, ricevu impreson de danĝero, forte sentu, ke ŝtelisto, verŝajne armita kaj preta mortigi, ĉeestis tuj apud ŝi, dum ŝi dormis."

"Prave. Tio povas okazi nur nokte. Kaj dumnokte ŝi dormas en la apuda ĉambro sian malprofundan dormon."

"Malprofundan?"

"Jes. Plej mallaŭta bruo ŝin vekas. Kaj ĝuste la afero estas aranĝita tiamaniere, ke se oni provos movi la sanktulan zonon, tio tuj estigos bruon, kiun ŝi aŭdos. Ŝi klarigis tion al la historiisto, dum mi aŭskultis. Ŝi konfirmis al li, ke ŝi havas tre malprofundan dormon, kaj tuj vekiĝus, se iu provus forŝteli la artaĵon."

"Jes. Mi komprenas. Vi bezonas, ke ŝi dormu profunde. Nu, vi venis al la ĝusta persono. Mi povos helpi vin."

"Nikolao! Mi sciis! Vi estas la plej bona kemiisto el la tuta mondo." Ŝi kisis lin.

"Atendu momenteton." Li forlasis la ĉambron.

"Jen," li diris revenante. "Ĉu vi opinias, ke vi povos enŝteliĝi en la ĉambron de la grafino du horojn antaŭ ol ŝi enlitiĝos?"

"Facile. Ŝi havas tre regulajn kutimojn. Estos neniu problemo."

"Bone. Simple metu ĉi tion ien sub ŝia lito. Vi devos trui la supran parton tuj antaŭ ol meti ĝin. Tiel, iom post iom, ellasiĝos senodora gaso, kiu igos ŝin dormi tiel profunde, ke ŝi aŭdos neniun bruon. Eble de tempo al tempo ŝi ridos, ĉar estas substanco simila al la unua, kiun ni provis ĉe ŝi."

"Nikolao, vi estas karulo! Mi ne scias, kiel danki vin."

"Vi povas danki tre simple. Klarigu al mi la tutan planon. Kiel vi aranĝos la savon fare de Pipelbom?" Elza klarigis, sed Nikolao tuj rimarkis punkton danĝeran:

"Jes, mi komprenas, ke vi bezonas policanon por kapti la «ŝteliston», ĉar se neniu arestus lin, la grafino suspektus, ke la tuta afero estas nur komedio. Sed ĉu vi povas fidi tiujn amatorojn, kiuj elturniĝis tiel admirinde, ke vi riskis vian vivon? Tio maltrankviligas min."

"Nu, bone, jes, mi komprenas vian vidpunkton, sed kion alian ni povus fari? Ĉu vi havas ideon?"

"Oni povas uzi la servojn de alia persono por la rolo de policano."

"Kiu?"

"Mi, ekzemple."

"Nikolao! Ĉu vi tion farus? Kvankam mi..." Kiom ajn kontentige la rompo de ilia amrilato efektiviĝis, ŝi tamen sentis sin kulpa.

"Kaj kvankam ankaŭ mi... Komprenehle mi tion farus. Plezure. Mi ŝatas viajn gepatrojn kaj taksas ilian situacion ege malkomforta. Devi ŝanĝi la tutan vivmanieron tiuaĝe! Ne. Mi farus ion ajn por ilin helpi. Kaj ankaŭ mi siatempe ludis en amatora teatra grupo. Mi scias, kie lui la necesajn vestojn. Mi ludos tiun rolon kun plej granda ĝojo."

"Kaj ĉar policanoj ĝenerale agas duope, vi bezonos helpanton. Mi estos tiu helpanto," proponis Lucia.

"Sed... ĉu virino?"

"Kial ne? Nun estas virinoj en la polico kaj ili faras la saman laboron, kiel la viroj. Ne estus nenormale, se unu el la du estus ina."

"Aŭskultu. Ne mi estas tiu, kiu direktas la realigon de la plano. Tion faras Johano. Mi transdonos viajn ideojn al li. Verŝajne li akceptos."

제15장 엘자의 또 다른 구상

"호, 엘자! 너로구나!"
젊은 화학기술자가 작게 소리쳤다. 귀찮아하는 표정이 읽혔다.
"그래, 잘 지내고 있지, 니콜라오? 나야."
꺼림칙한 목소리로 그녀는 말했다.
그녀도 거북한 느낌이 들었다.
"들어와, 좀 들어오라고."
그는 제의를 사양하기 바라는 이의 어조로 말했다.
"그래."
그녀는 좀 이상한 느낌을 받은 이유를 금세 알았다. 요하노에
비해, 니콜라오는 다시 친구, 좋은 친구가 되었고 그보다 더한
관계는 아니게 되었다. 사랑하는 사람은 요하노, 오직 요하노일
뿐이라는 데에 의문이 없었다. 그녀는 관계에 대해 정직하게 털
어 놓을 수 없는 남자에게 부탁하러 왔다는 생각 때문에 거북살
스러웠다.
들어가면서 그녀의 눈길은 뜻하지 않게 신발에 꽂혔다. 전혀 예
기치 않게 아파트 입구 바닥에 신발 한 켤레가 놓여 있었다. 여
자의 신발이.
"난……. 난……."
니콜라오는 더듬거렸다.
"혼자 있는 게 아니지?"
그녀는 호기심으로 다음 문을 열면서 말했다.
그는 서투른 짓하다 잡힌 도둑 꼴이었다.

"신발은……."

그는 신음하듯 쩔쩔매기 시작했다.

"발이 아파서, 들어오면서 신발을 벗었어요."

명랑한 여자 목소리가 들렸다.

"당신이군요!"

엘자는 소리쳤다.

그녀는, 니콜라오가 입원해서 그를 보러 갔을 때 병원에서 몇 번 마주친 적이 있는, 간호사 루지아에게 미소를 보냈다.

"당신이 오리라고는 생각지 못했어요. 그렇지만 더 잘 됐네요. 니콜라오와 난 당신과 함께 말하기로 했거든요. 나는, 당신도 아는, 독한 화학물질 때문에, 그이 피부가 아플 때 한 달 반 동안 간호했어요. 난 그이에게, 그이는 내게 빠졌어요. 내가 너무 느닷없이 당신을 괴롭히면서, 세련되지 못하고 투박하게, 행동하고 있다면 용서하세요. 그렇지만, 그렇지만, 난 더 기다릴 엄두가 안 나고, 그리고……. 그런데 왜 도대체 당신은 웃지요?"

"아, 루지아!"

그녀는 소리 지르고 루지아에게 키스했다.

"얼마나 다행인지 몰라요!"

"무슨 일이지? 난 이해 못하겠어. 내가 당신을 배신했는데 그걸 행운이라고?"

니콜라오가 물었다.

"그 일을 어떻게 이야기할지 모르겠어. 난……. 아 니콜라오, 너무 기뻐서 너에게도 키스하고 싶어."

그녀는 니콜라오에게 키스했다. 누이처럼.

"나도 얼떨떨해요."

루지아가 끼어들었다.

"설명 좀 해 줄래요?"

"너도 알다시피, 난 조금 전 엄청난 사고를 겪었어. 나를 피펠봄 씨 비서인 요하노라는 한 젊은이가 구해 주었어. 그가 나를 구했어. 난……. 어떻게 말해야 할까? 그이를 사랑해. 아주 많이 사랑해. 그리고 너하고의 관계에 대해서는 아주 미안해, 니콜라오!"

"피펠봄 씨의 비서 요하노? 잘 알아요."
루지아가 말했다.

"요하노가 돌팔이 의사가 준 약 때문에 이상한 피부 반응이 있어서, 내가 한 주 줄곧 간호했어요. 나를 좋아하는 것 같았는데요."

"아마, 조금 그랬겠지만 심각하지는 않았지요."
엘자가 방어하듯 대답했다.

"네 설명으로 내가 얼마나 마음이 가벼워지는지 넌 상상하지도 못할 거야."
니콜라오가 말했다.

"아. 아냐,"
엘자가 대답했다.

"아, 그래, 난 상상이 돼. 나도 똑같이 느끼고 있거든. 이 모든 것에 대하여 기뻐할 뿐이야. 그런데 확실하게, 진실을 말하자면, 니콜라오, 난 실제 문제를 너한테 맡기려고 왔어."

"정말?"

"그래. 네가 나한테 줘서 백작 부인이 좋아하는 마실 것에 넣어 끝내주게 성공적으로 효능을 시험한 그 물질이 난 더 좀 필요해."

"왜 그게 필요한데?"

"백작 부인을 다시 한 번 재워야 하니까."

니콜라오는 불쾌한 얼굴이었다.

"끝났어,"

그는 딱 한 마디 했다.

"끝났어? 무슨 말을 하려는 거야?"

"끝났다고. 그 방법은 더 안 먹혀. 백작 부인이 안단 말이야."

"아는 게 뭔데?"

"부인이 마신 것은……. 어떻게 말해야 하나? 조심하게 됐어."

"뭐? 부인이 어떻게 할 수도 있다는……."

"그래. 부인은 마신 것의 추출물을 분석해 달라고 내게 부탁했고, 물론……."

"넌 그 속에서 네 특별한 수면제를 다시 찾아냈겠군!"

"그렇지. 잠들기와 웃기를 동시에 하게 만드는 그것을."

"어떻게 백작 부인이 눈치 챘지?"

"난 몰라. 너희 아버지가 나한테 오셔서, 백작 부인이 마신 것을 분석해 달라고 부탁한다는 말씀을 하셨어. 또 말씀하시길, 분석 결과를 받아보기까지는 비슷한 아무것도 마시지 않겠다고 했다는 거야."

"결과에 대해 뭐라고 말했어?"

"응, 난 그 마실 것에 파인애플 즙이 있다는 것을 주목했지. 나는 이 확실한 파인애플이 깨끗하지 않고, 비위생적이고, 잠 오게 하는 마약 효과 성분을 포함하고 있다고 말할 거야. 내가 뭐라고 말해야겠어? 넌 진실을 내가 말하는 걸 바라지 않겠지?"

"그래, 분명히 그래. 네 생각으로는 부인이 이제부터 그거 마시려고 하지 않을 것 같아?"

"어떻게 알아? 그렇다고 봐야지. 백작 부인은 무척 의심이 많

- 170 -

았어. 부인이 그 과실주를 아주 좋아하면, 그걸 다시 마시기 시
작하겠지만, 금방은 아니고 지금의 인상이 지워진 뒤에나 할 거
야.”

“네 말이 맞아. 그 때문에 내 계획을 바꿔야 해.”

“무슨 말인데?”

엘자는 니콜라오를 꽉 믿었다. 그들의 관계가 달라져서, 그의 자
리가 가장 사랑하는 사람에서 친구로 바뀌었다 하더라도, 그의
인품은 바뀌지 않았다.

그녀는 루지아도 믿었다. 엘자는 루지아에게서 책임감과 우정이
강한, 착하고, 사랑스런 사람이며, 쉽게 맺을 수 있는 사람이라
는 느낌을 받았다. 엘자는 루지아의 깊은 성실성과 정직성을 의
심하지 않았다.

따라서 엘자는 백작 부인에게 구혼하려는 아드리아노 피펠봄의
희망에 관한 모든 사항과 그 목적으로 만든 계획을 이야기하기
로 했다. 그것은 엘자의 부모가 바라는 만큼, 엘자도 주장하는
바였다.

“그런데 왜 백작 부인을 잠들게 하고 싶지?”

나콜라오가 물었다.

“성 가르페르데토의 허리띠를 훔치는 데에 절대적으로 필요하
니까.”

“왜?”

“그 허리띠가 백작 부인이 자는 곳 바로 옆방에 있으니까.”

“그걸 쉽게 집어낼 수 있어?”

“그렇기도 하고 안 그렇기도 해. 백작 부인은 이른바 보안시스
템을 도통 믿지 않지만 매우 지능적이야. 성 가스파르데토의 허
리띠는 벽에 걸려 있는데, 그 방에 들어가서 누구나 바로 정면

으로 그것 앞에 서지만, 알아보지 못해. 방의 모든 배치가 그러해서 그 보물은 수많은 장식 직물 중 하나로만 보일 뿐이기 때문이야."

"교황님이 그것을 찬미하러 오실 때, 그것이 확실히 잘 안 보이겠네?"

루지아가 좀 바보스럽게 말했다.

"물론 아니지. 그때에는 꼭 백작 부인이 적절하게 전시할 거니까. 그렇지만 지금 그것은 벽에 있어. 이 비밀을 아는 건, 나 혼자밖에 없을 거야."

"어떻게 그럴 수 있는데?"

"역사학자가 와서 사진을 찍고 서명을 읽을 수 있게 할 때, 난 옆방에서 슬며시 봤거든. 난 숨어서 백작 부인이 그것을 꺼내는 걸 보았어. 전에는 그 천 조각이 특별한 것인 줄 짐작하지 못했어."

"그래도 난 왜 네가 백작 부인을 잠들게 해야 하는지 모르겠어."

"이해 못하는 게 당연하지. 내가 다 설명하지는 않았으니까. 우리가 그것을 낮이나 저녁이나 백작 부인 외출 때나 -예를 들어 아침에 말 탈 때- 훔친다면, 우리는 피펠봄 씨가 구출극을 가장 효과적인 조건에서 벌이도록 하는 것에 성공하지 못할 수도 있어. 우린 밤에 해야 해. 요하노가 그럴 필요가 있다고 생각하고 있고 나도 그가 옳다는 판단이야."

"나도 그렇게 생각해."

니콜라오가 말했다.

"훔쳐내기가 그렇게 되어야 나중에 그 일을 생각하면서 위험의 인상을 강하게 받게 하고, 무장하고 살인 준비한 듯 한 절도범

이, 백작 부인이 자는 동안 곁에 있었다는 것을 강하게 느끼게 하지."

"맞아. 그 일은 밤에라야 일어날 수 있어. 밤새 부인은 옆방에서 선잠을 자는 거야."

"선잠을?"

"그래. 아주 조용한 소음이 부인을 깨우지. 그래서 성스러운 허리띠가 옮겨질 수 있을 때, 부인이 들을 소음이 나도록 일이 꾸며졌어. 내가 듣는 동안, 부인이 역사학자에게 그걸 말했지. 부인은 아주 얕은 잠을 자서, 누군가 예술품을 훔쳐갈 때, 바로 일어날 수 있다고, 부인이 학자에게 말했어."

"응, 알겠어. 부인이 깊이 잠들도록 하는 게 필요하겠다. 자, 너는 거기 딱 맞는 사람을 찾아온 거야. 내가 도와주겠어."

"니콜라오! 나는 알았어! 너는 세상에서 가장 훌륭한 화학자야."
그녀는 그에게 키스했다.

"잠깐 기다려."
그는 방을 나갔다.

"이봐,"
그는 되돌아오면서 말했다.

"백작 부인이 잠자리에 들기 두 시간 전 침실에 몰래 네가 들어갈 수 있으리라고 생각해?"

"쉬워. 부인이 아주 규칙적인 생활을 하거든. 아무 문제없을 거야."

"좋아. 그저 이것을 침대 아래 어딘가에 놓기만 하면 돼. 그걸 놓아두기에 바로 앞서, 윗부분에 구멍을 뚫어야 해. 그렇게 조금씩 조금씩 냄새 없는 가스가 피어나와 부인을 깊이 잠들게 해서 아무 소리도 듣지 못할 걸. 아마 이따금 부인이 웃을 건데, 전에 부인한테 시험해 보았던 첫 번째 약과 성분이 비슷하기 때문이지."

"니콜라오, 너는 소중한 사람이야. 어떻게 사례해야 할지 모르겠어."

"아주 간단하게 사례할 수 있지. 계획 전부를 내게 설명해 줘. 피필봄의 백작 부인 구출극을 어떻게 꾸밀 거야?"

엘자가 설명했으나, 니콜라오는 바로 위험한 점을 집어냈다.

"그래, '도둑'을 잡으려면 경찰관이 필요하다는 것은 이해해. 아무도 도둑을 잡지 않으면 모든 일이 연극일 뿐이라고 백작 부인이 의심하기 쉽기 때문이지. 그런데 네가 목숨을 걸 만큼 아마추어 배우들이 경탄스럽게 난경을 헤치고 나올 거라고 믿을 수 있어? 그게 마음에 걸리네."

"자, 좋아, 그래, 난 네 관점을 이해하지만, 달리 뭘 할 수 있겠어? 좋은 생각 있어?"

"경찰관 역에 딴 사람을 쓸 수 있지."

"누구?"

"나, 예를 들면."

"니콜라오! 뭐 하려는 거야? 아무래도 난……."

그들의 애정관계가 깨지는 것에 만족하는 만큼, 그녀는 죄스러움을 느꼈다.

"그런데 아무래도 나도……. 물론 내가 할 거야. 기꺼이. 난 네 부모님을 좋아하고 지금 그분들 사정이 안 좋다고 보니까. 모든 생활방식을 그 나이에 바꿔야 해! 그분들 돕는 일이면 뭐든지 하겠어. 나도 한 때 아마추어 극단에서 놀았지. 난 필요한 의상을 빌리는 곳을 알고 있어. 큰 기쁨으로 그 역을 할 거야."

"그리고 경찰관은 대개 둘이서 행동하니까, 조력자가 필요할 거야. 내가 조력자를 할 거야."

루지아가 제안했다.

"그런데……. 여자가?"

"왜 안 돼? 이제는 여자 경찰관들이 있고, 남자와 똑같이 일해.
둘 중 하나가 여자라고 해서 이상하지는 않아."

"들어봐. 난 계획안을 실제로 연출하는 사람은 아니야. 그건 요
하노가 해. 그 구상을 그에게 전해 주겠어. 그이가 받아들일 것
같아."

Ĉapitro 16

Li akceptis. Ankaŭ s-ro Pipelbom (al kiu Johano opiniis pli saĝa ne paroli pri la fina ĉeesto de policano en la plano) estis akceptinta la ideon savi la zonon de Sankta Gaspardeto. Tiu ideo, konsidere al la papa vizito, aperis al li aparte gratulinda. El lia kolero kontraŭ Johano neniom plu restis.

Ĉion ĉi, kaj la lastajn detalojn de la plano, Johano senzorge klarigis al Elza, dum ili kune tagmanĝis ĉe «La Prapatroj».

Ankaŭ Ĝeraldo sidis proksime, streĉante la orelojn. Ne ĉion li aŭdis, sed la grandan plimulton. Li ne dubis, ke lia ĉefo treege kontentos.

* * *

Johano apenaŭ revenis de la manĝo kun Elza, kiam Nikolao vizitis lin. Ili havis longan kunparoladon, mallaŭtan, pezan je sekretoj.

제16장   요하노와 엘자의 합동작전

요하노는 받아들였다. 피펠봄 씨(그에게 요하노는 계획안에서 경찰관이 막판에 등장하는 것에 대해 말하지 않는 것이 현명하다고 생각했다)도 성 가스파르데토의 허리띠를 구해 내는 계획을 수긍했다. 그 생각은, 교황의 방문을 고려할 때, 그에게 특별히 칭찬할 만하였다. 요하노에 대한 그의 분노는 더 남아 있지 않았다.

계획의 모든 것과 마지막 상세한 부분을 요하노는 조심성 없이 엘자에게 음식점 '조상님들'에서 함께 점심 먹는 동안 설명했다.

제랄도도 가까이 앉아 귀를 쫑긋했다. 다 들리지는 않았지만 대부분은 들렸다. 그는 두목이 아주 만족해 할 것이라는 것을 의심하지 않았다.

* * *

요하노가 엘자와 식사하고 막 돌아오자 니콜라오가 그를 찾아왔다. 그들은 목소리를 낮추고 중요한 비밀이 담긴 이야기를 나누었다.

Ĉapitro 17

S-ro Pipelbom estis alta, dika, peza kaj larĝaŝultra. Tio sendube donis al li havindan korpoforton, kaj lia grandula aspekto ludis ne etan rolon en la fakto, ke la plimulto el la homoj emis, se ne lin timi, certe lin respekti, kaj almenaŭ hezitis antaŭ ol riski malkontentigi lin.

Sed tio, kio estas ofte utila dumtage, prezentas per si malplaĉan ĝenon dumnokte en loko arboplena. Ĉefe kiam oni devojiĝis kaj ekstervoje iraĉas en nehoma sovaĝejo.

La dika, peza, alta, larĝa korpo ne sukcesis pasi senbrue inter la arbetoj; krome, tuŝi la naturaĵojn, ĝenerale malsekajn, meze de kiuj li malfacile paŝis, estis travivaĵo ne malofte doloriga, kaj konstante malagrabla. Ju pli li antaŭeniris en la vivo — kaj ju pli li antaŭeniris en la ĉe-kastela arbaro — des pli Adriano Pipelbom malŝatis la noktan naturon.

Viro, kies okuloj kapablis bone vidi en la mallumo, rigardis la malfacilan iron de nia industriisto. Li ridetis.

Apud tiu viro, vestita kiel policano, staris alia persono, simile vestita. Ĉi-lasta estis virino.

"Ni iru," la viro flustris en la orelon de sia kunulino. "Nun estas la ĝusta momento."

Ambaŭ ekmarŝis direkte al la alta, larĝa, peza, dika paŝanto. Ili zorgis fari kiel eble plej malmulte da bruo. Junaj, facilmovaj, ili preskaŭ plene sukcesis.

En ĉi tiu aĉa etoso, kie arboj sovaĝe ĵetis siajn malsekajn branĉojn rekte en la vizaĝon de honesta industriisto, kie multpiedaj bestetoj prenis liajn krurojn por promenejo, kie naturo frapigis lian piedon al perfide metita ŝtonego, plej dolorige, aŭ ĝin faligis, sen antaŭpreparo, en kavon plenan je akvo aĉ-odora, Adriano Pipelbom rapide alvenis al la konkludo, ke oni devas ĉi tie esti preta por iu ajn malplaĉa renkonto. Ion ajn li efektive atendis, krom homa voĉo. Kiam do voĉo aŭdiĝis tuj proksime, li faris, ekmire, belan surlokan salton, kiu skuis lian koron, ŝajne, supren ĝis la buŝo.

"Kio?" li diris, provante sensukcese rekapti iom da trankvilo.

Sed la lumo de poŝlampo, direktita rekte al liaj okuloj, malhelpis mensan repaciĝon. Krome, ŝajnis al li, ke la homformo tenanta la lampon surhavas vestojn policajn.

"Kion vi faras ĉi tie?" sonis la aŭtoritata voĉo.

"Mi... mi... nuuuuu... eee..." fuŝparolis Pipelbom.

"Bonvolu paroli iom pli klare," la alia diris eĉ pli

gravtone.

"Mi... mi... mi promenas."

"Haha! Vi promenas en la bieno de grafino Montokalva, meze de la nokto. Ĉu la grafino vin invitis? Ĉu ŝi scias pri via ĉeesto ĉi tie?"

"N... nu... N... ne. Mi..."

"Mi do devas peti vin min sekvi." Kaj li klarigis, ke ekde la fuŝa provo kapti la grafinon, fare de teroristoj, la polico kontrolas atente, kio okazas en la najbaraĵo de la kastelo.

Al la industriisto ŝajnis, ke lia koro, reveninta malalten, ĉi-foje falis ĝis liaj piedoj. Li sciis, ke nur malfacile li povos trovi akcepteblan klarigon pri sia ĉeesto, kaj la ideo, ke la grafino ĉion scios, perdigis al li la malmulton da espero, kiu restis post la unuaj vortoj de la policano.

제17장 발각된 백만장자

피펠봄 씨는 키가 크고 살찌고 체중이 많이 나갔으며 어깨가 벌어졌다. 그것이 틀림없이 그에게 어울릴 만한 체력을 지니게 했으며, 큼직한 외모는 사실상 작은 역할에 들어맞지 않아서, 사람들 대부분이 그를 두려워하지 않으면 확실히 존경했으며, 그가 불만족스러워하면 어쩌나 하고 지레 망설였다.

낮 시간에 자주 유용한 외모지만 밤에 나무가 많은 곳에서는 거추장스러웠다. 사람들이 길을 벗어나 다니고 인적 없는 거친 야외에서 길 밖으로 쏘다닐 때 주로 그랬다.

살찌고 무겁고 키 크고 어깨 넓은 몸은 작은 숲 사이로 소리 없이 다니기가 쉽지 않고 그밖에도 어렵게 걸어가야 하는 것들 가운데서 대개 젖어 있는 자연의 것들을 접촉하기란 종종 괴롭고 늘 불쾌한 경험이었다. 삶의 속으로 들어갈수록, 성에 있는 숲에 들어갈수록 아드리아노 피펠봄은 밤의 자연이 마음에 들지 않았다.

어둠 속에서도 잘 보이는 눈을 지닌 사내는 우리 사업가가 어렵게 가고 있는 것을 지켜보고 있었다. 그는 미소 지었다.

경찰 차림을 한 이 사내 옆에 비슷하게 옷을 입은 딴 사람이 서 있었다. 여자였다.

"갑시다."

사내가 동료의 귀에 속삭였다.

"지금이 딱이요."

둘은 키 크고, 어깨 넓고, 무겁고, 살찐 행인을 향해 걸었다. 그들은 소리를 되도록 죽이고 조심스럽게 움직였다. 젊고 잘 움직이는 그들은 거의 성공을 거두는 것 같았다.

이 험한 환경에서, 야생의 나무들은 젖은 가지를 정직한 사업가의 얼굴에 정통으로 던지고, 다족류 벌레들이 산보하려고 그의 다리로 기어오르고, 자연이 그의 발을 듬직하게 자리 잡은 큰 바위에 얻어맞게 하거나, 가장 아프게는, 예고 없이 나쁜 냄새 가득한 구덩이에 빠지게 했다. 아드리아노 피펠봄은 여기서는 불쾌하게 마주칠 어떠한 상황에 맞설 태세를 해야 한다는 결론에 재빨리 도달했다. 사람 음성 아닌 무슨 소리라도 효과적으로 들을 수 있게 기다렸다. 그런데 사람 음성이 바로 가까이서 들려, 그는 놀라서 땅 위로 펄쩍 뛰었으며 그것이 그의 마음을, 위로 그의 입술까지도 흔든 것 같았다.

"무엇이지?"

그가 마음을 조금도 진정시키지 못하면서 말했다.

그러나 손전등 불빛이 그의 눈에 똑바로 향해 있어, 마음의 평정을 방해했다. 게다가 등불을 켠 사람 형상이 경찰복을 입고 있는 것처럼 그에게 보였다.

"여기서 뭐 하고 계십니까?"

권위적인 목소리가 들렸다.

"저는……. 저는……. 어……. 에……."

피펠봄은 버벅거렸다.

"좀 분명하게 말씀하시오."

다른 한 사람이 더 묵직하기까지 한 어조로 말했다.

"저는……. 저는……. 산책하고 있습니다."

"하하! 한밤중에 몬토칼바 백작 부인의 소유지에서 산보하고 계시다고. 선생님을 백작 부인이 초대했습니까? 선생님이 여기 온

걸, 백작 부인이 아십니까?"

"어……. 어……. 저는……."

"저를 따라 오셔야겠습니다."

그리고 그는 테러분자들의 백작 부인 납치 실패 때부터 경찰이 성 주변에서 무슨 일이 일어나고 있는지 살피는 경계근무를 하고 있다고 설명하였다.

그 사업가에게는, 벌렁거리다가 진정된 심장이 이번에는 발까지 떨어져내리는 듯 느껴졌다. 그는 자신의 출현에 대하여 수긍할 만하게 설명하기가 도무지 어렵다는 것을 알았다. 그리고 백작 부인이 모든 것을 알게 될 것이라고 생각하자, 경찰관의 말 첫마디에 걸었던 작은 희망이 사라져 버렸다.

Ĉapitro 18

La unua afero, kiun Albertina Montokalva ĉiam faris, kiam ŝi eniris sian dormoĉambron por enlitiĝi, estis malfermi la fenestron. Ĉe fermita fenestro ŝi tute ne povis dormi.

La dua afero estis trinki la ciprianan specialaĵon el vino kaj fruktosukoj. Sed, de kelkaj tagoj, ŝi hezitis sekvi tiun malnovan kutimon. Ree, ĉi-foje, ŝi malhavis ĝin.

La tria afero estis demeti siajn vestojn kaj ilin tre zorgeme aranĝi sur seĝon.

La kvara, kaj plej plaĉa, estis kuŝiĝi tute nuda en la larĝan, komfortan liton, kun plezuriga malstreĉo de ĉiuj muskoloj.

Kvankam zorgoj ŝin maltrankviligis − laŭ la ĵus ricevitaj informoj, la riparoj ĉe la maldekstra flanko de la kastelo kostos eĉ pli multe ol oni komence diris − ŝi baldaŭ sentis strangan bonhumoron, eĉ nekompreneblan emon ridi senkaŭze. Kaj ŝi rapide endormiĝis.

Bruo vekis ŝin. Bruo en la apuda ĉambro. Ne iu ajn bruo. Bruo tute difinita. La speciala bruo, kiun oni faras, kiam oni forprenas de sur ĝia muro la zonon de Sankta Gaspardeto.

Ne tuj ŝi ellitiĝis. Ŝi ne sentis veran dormemon, sed ŝi ankaŭ ne estis plene vekita. Nur kiam ŝi aŭdis, ke la ulo en la apuda ĉambro foriras kaj diskrete fermas la pordon post si, nur tiam ŝi trovis la forton ellitiĝi. Ŝi surmetis negliĝon kaj eliris el sia dormĉambro. Necesis vidi, kio okazas.

Homo eĉ inteligenta kelkfoje fuŝas siajn planojn pro troa memcentreco. Nikolao ĉiam dormas kun fermita fenestro, kaj la ideo ne venis al li, ke aliaj homoj vivas alimaniere. Tial li ne demandis al Elza, ĉu la grafino enlasas tutnokte freŝan aeron en sian dormĉambron, kaj li forgesis diri, ke lia gasa dormigilo funkcias plene nur ĉe fermitaj fenestroj. Ĉe nia aerŝata grafino, la dormiga efiko estis nur parta. Pro tio la bruoj vekis ŝin.

Ne necesas diri, ke ŝia unua ago, kiam ŝi troviĝis en la apuda ĉambro, estis fari lumon por kontroli, ĉu la timata ŝtelo okazis. La respondo estis bedaŭrinde jesa: sur la muro mankis la zono de Sankta Gaspardeto. Ŝi preskaŭ ekploris.

Sed nia grafino estas agema homo, kaj kuraĝa. Ŝi malsupreniris al la ter-etaĝo, rigardis eksteren, kaj vidis ombron paŝantan; ne al la apuda elirejo, de kie oni plej rapide trafas la vojon al la urbo, sed al la herbejo, trans kiu komenciĝas la arbareto, kie ŝi rajdas ĉiumatene.

Rapidege ŝi surmetis mantelon kaj botojn, prenis poŝlampon, kaj la ombran formon eksekvis.

제18장 　도난당한 보물

알베르티나 몬토칼바가 자려고 침실에 들어가 늘 하는 첫 일은 창문 열기였다. 창문을 닫은 채로는 전혀 잠들 수 없었다.

둘째 일은 지프리아노가 포도주와 과일즙으로 만든 특별한 것을 마시는 것이다. 그렇지만, 며칠 전부터 부인은 오래된 그 버릇을 따르는 것을 망설였다. 다시 이번에는 그 습관을 버렸다.

셋째로 하는 일은 옷을 벗어 조심스럽게 의자에 정돈해 놓는 것이다.

넷째는 가장 좋아하는 일로, 모든 근육을 즐겁게 풀고, 홀랑 벗은 채 넓고 편한 침대에 눕는 것이다.

걱정이 그녀를 불안하게 하더라도 - 방금 받은 보고에 따르면 성의 왼 편을 고치는 비용이 처음 말할 때보다 많이 들어갈 것이라고 한다 — 그녀는 곧 이상하게 좋은 기분을, 까닭 없이 웃으려는 알지 못할 느낌마저 느꼈다. 그리고 빠르게 잠들었다.

소음 때문에 그녀는 잠을 깼다. 소리는 옆방에서 들렸다. 보통 소리가 아니었다. 완전히 식별되는 소리였다. 벽에서 성 가스파르데토의 허리띠를 벽에서 떼어 낼 때, 나는 소리였다.

부인은 바로 일어나지 않았다. 그녀는 졸음을 느끼지는 않았으나 잠을 완전히 깨지도 않았다. 옆방에서 사람이 나가 조심스레 뒤로 문을 닫았을 때에야, 그녀는 겨우 일어날 힘이 있었다. 그녀는 실내복을 걸치고 침실에서 나갔다. 무슨 일이 일어났는지 볼 필요가 있었다.

사람은 머리가 좋더라도 고집이 심해 가끔 계획을 망친다. 니콜라오는 늘 창문을 닫고 자는데, 딴 사람은 딴 방식으로 잔다는 생각을 하지 않는다. 그래서 그는 백작 부인이 밤새 신선한 공기가 들어오게 하느냐고 엘자에게 묻지 않았고 기체 수면제가 창문 닫힌 곳에서만 충분히 작용한다고 일러 주는 것을 잊었다. 공기를 좋아하는 우리 백작 부인에게 수면 촉진 효력이 부분적이었다. 그 때문에 소리를 듣고 그녀가 깨었다.

말할 필요도 없이, 그녀가 옆방에서 처음 한 행동은 겁나는 도난이 일어났는지 알아보려고 불을 켜는 것이었다. 대답은 유감스럽게도 예였다. 벽에 성 가스파르데토의 허리띠가 없었다. 그는 거의 울기 시작했다.

그러나 우리 백작 부인은 행동적인 사람이고 용기가 있었다. 그녀는 1층으로 내려가 밖을 내다보았는데, 걸어가는 사람의 그림자가 보였다. 사람들이 시내 쪽으로 가장 빠른 길로 가려고 할 때 가던 출구 부근 쪽이 아니라 풀밭 쪽으로였다. 그런데 풀밭 쪽으로는 건너편에 그녀가 아침마다 말 타는 숲이 시작된다. 잽싸게 그녀는 외투를 걸치고, 장화를 신고, 손전등을 지닌 채, 그림자 모습을 따라갔다.

Ĉapitro 19

Adriano Pipelbom time pensis pri la horo. Li ne povis informi siajn kunplanintojn, kaj sekve li verŝajne ne ĉeestos je la ĝusta momento, kiam li devos interveni por savi la altvalorajon, kaj tiel havigi al si la admiron de la grafino.

Liaj gekaptintoj – Nikolao kaj Lucia – kondukis lin al malnova kabano, kiu staris ne malproksime. Komence, Nikolao pridemandis la industriiston plej serioze, provante imagi, kion dirus vera policano en similaj cirkonstancoj.

Sed kiam s-ro Pipelbom komencis rigardi pli kaj pli ofte sian brakhorloĝon kaj petegis siajn kaptintojn liberigi lin tuj, proponante altan monsumon garantie, Nikolao ŝanĝis sian tonon, kaj ankaŭ la enhavon de la interparolo.

"S-ro Pipelbom," li diris solene, kaj malvere, "mi fariĝis policano, ĉar tio estis la sola eblo, kiu prezentiĝis al mi, kompatinda senlaborulo. Sed mi fakte estas kemiisto, kaj vi konas min."

Unuafoje li montris sian vizaĝon sub plena lumo.

"Ĉu vere?" respondis la alia. Jes, li rekonis la junulon.

"Vi fariĝis tre riĉa, sinjoro, dank' al multaj bonegaj

ideoj, kiujn vi havis, tute certe. Sed dum la lastaj kvin jaroj, kio plej riĉigis vin, tio estas la nun tutmonde vendata tabako sen tabako, kiu vin famigis."

"Ĝuste."

"Vi rekonas min, ĉu ne? Mi estas la kemiisto, kiu eltrovis tiun substancon. Mi estis tre juna, ne sciis, kiel protekti miajn interesojn, kaj ĉar mi nepre bezonis monon, mi malsaĝe vendis al vi mian formulon por sumo ridinda."

"Mi faris nenion neleĝan."

"Prave. Sed vi riĉiĝis per mia eltrovo, kaj mi restis sensukcesa kaj malriĉa."

"Mi ne respondecas pri via malsaĝo. Oni ĉiam devas porti la sekvojn de siaj decidoj en la vivo, ankaŭ se ili estas fuŝaj."

"Jes. Vi perfekte pravas. Kaj mi proponas al vi elporti la sekvojn de via decido veni ĉi tien ĉinokte en plej suspektindaj cirkonstancoj. Mia polica menso sciigas al mi, ke post dudek minutoj, vi devus stari en difinita loko, kie via ĉeesto estas nepre necesa por la sukceso de viaj planoj, kaj kie vi ne troviĝos, se mi ne ellasos vin."

"Kiel diable vi tion scias?"

Nikolao ridetis superece.

"Mi havas miajn metodojn. Modernajn policajn

metodojn."

Lucia rigardis sian amaton admire. Neniam ŝi vidis homon malveri kun tiom da ŝajna sincereco. Pipelbom estis plej impresita.

"Kion vi volas? Kiom?" li demandis, kaj lia tono esprimis teruran lacecon.

"Neniom. Mi nur havas proponon al vi."

"Kiun?"

"Kiel mi ĵus diris, mi preferus labori kiel kemiisto ol en la polico. Sed la nuna ekonomia situacio, kiel vi scias, estas tre malbona por kemiistoj. Ne estas facile trovi laboron. Mi vin ellasos, kaj eĉ helpos vin efektivigi vian planon, se vi akceptos havigi al mi duonan parton en la rajto super la patento rilata al mia eltrovo de tabako sentabaka. Tiel ni ambaŭ rejustigos maljustaĵon."

Pipelbom diris nenion. Videble okazis en li terura enmensa batalo: disaj emoj ŝiris lin.

"Sed mi proponas al vi ion ankoraŭ pli belan. Mi nun laboras super vino senvina kaj..."

"Kion?" Pipelbom saltetis, kvazaŭ bombo ĵus eltiris lin el songo. "Ĉu vi parolis pri vino senvina? Mia revo! Mia lastatempa ideo!" Li ekkriis kun streĉa esprimo survizaĝe.

"Nu," daŭrigis Nikolao, "mi preskaŭ sukcesis. La ideo estas la sama, kiel pri la tabako sentabaka. Ni eltrovu trinkaĵon, kiu havu ĉiujn karakterizojn de vino, krom la enhavo alkohola, kvankam al trinkanto ĝi sentiĝu kvazaŭ alkoholhava. Tiel homoj, kiuj ŝatas vinon, sed ne ĝiajn efikojn sur la sano aŭ sur la mensa klareco, povos trankvile sensoifiĝi plezure, sen timi la sekvojn de troa trinkado. Nun aĉeteblas fruktosukoj, kiuj provas realigi tiun ideon, sed sensukcese. Ĉiuj ekzistantaj produktoj estas tro dolĉaj, ne redonas la impreson de alkoholo, kaj tial ne taŭgas por la homoj, kiujn ni celas."

"Jes, jes, ne necesas, ke vi disvolvu plu la ideon. Mi konas jam perfekte ĉiujn manierojn defendi ĝin. Sed kion pri ĝia realigo?"

"Ĝuste, sinjoro. Se vi akceptos min je via servo – kontraŭ akceptebla salajro, kompreneble – mi povos finaranĝi la aferon. Mi jam preskaŭ sukcesis, kaj mia sukceso pri sentabaka tabako indikas al vi, ke mi ne estas revulo. Por konduki miajn esplorojn al plene sukcesa fino, mi bezonas laborkondiĉojn, kiajn nur vi povus havigi al mi. Sed la tempo pasas rapide. Estus bedaŭrinde perdi multvalorajn minutojn. Se vi bonvolos subskribi ĉi tiun dokumenton, la afero estos interkonsentita, kaj mi tuj lasos vin kuri al via tasko, samtempe urĝa kaj grava."

Adriano Pipelbom ne estis unu el tiuj homoj, kiuj

subskribas dokumenton sen legi ĝin. Li legis atente. Ĉar la dokumento estis preparita de Johano, laŭ peto de Nikolao, ĉiuj necesaj punktoj estis antaŭviditaj kun granda precizeco. Ĉi-foje, Nikolao ne riskis, ke la industriisto profitu de lia manko de sperto.

"Tiu, kiu preparis ĉi tiun dokumenton, ne lasas multon al hazardo, kaj scias, kie miskomprenoj povus okazi. Ŝajnas al mi, ke vi multe serioziĝis, amiko, ekde kiam vi unue rilatis kun mi. Nu, bone, mi subskribos. Realisto scias, kiam oni superfortas lin. Kaj eble mi tamen profitos de la aranĝo. Senvina vino estis unu el miaj karaj ideoj..."

Tiel s-ro Pipelbom fine eliris el sia ĝena situacio. Kaj ankaŭ Nikolao. Kiu situacio ja estas pli ĝena ol tiu de senlaborulo?

제19장 협상하는 백만장자

아드리아노 피펠봄은 시간에 대는 것에 관하여 걱정하였다. 그는 공동계획자에게 알릴 수 없었고, 따라서 그가 보물을 구하는 데 끼어들어 백작 부인을 감탄케 할 딱 맞는 순간에 나타날 수 없을 것 같았다.

그를 체포한 이들이 그를 멀지 않은 데에 있는 오래된 오두막으로 데려갔다. 처음에 니콜라오는 진짜 경찰관이 비슷한 경우에 말했음직한 것을 상상해 보면서 그 기업인을 아주 진지하게 심문했다.

그러나 피펠봄 씨가 손목시계를 점점 자주 보기 시작하고, 고액의 보석금을 제안하면서 체포자들에게 얼른 풀어달라고 간청할 때, 니콜라오는 어조를 바꾸고, 대화 내용도 바꾸었다.

"피펠봄 씨,"

그는 엄숙하게, 꾸며대어 말했다.

"저는 경찰관이 되었습니다. 그게 가련한 실업자인 저에게 제시된 유일한 가능성이었으니까요. 그렇지만 저는 사실 화학자며 사장님께서는 저를 잘 아십니다."

처음으로 그는 자신의 얼굴을 환한 불빛 아래 내보였다.

"정말인가?"

상대방이 대꾸했다. 그렇구나, 그는 젊은이를 알아보았다.

"사장님은 가지고 계신 많은 훌륭한 생각 덕분에 아주 확실히 큰 부자가 되셨습니다. 그런데 최근 5년 동안 사장님께 가장 많이 돈 벌게 해 준 것은 지금 온 세상에서 팔리고 있는 담배 없는 담배지요. 그것으로 사장님은 유명해지셨습니다."

"맞아."

"사장님은 저를 알아보시는군요? 저는 그 물질을 발명한 화학
잡니다. 저는 아주 젊어서 제 이익을 어떻게 지켜야 할지를 몰
랐고, 돈이 꼭 필요했기에 어리석게도 그 제조법을 웃기는 금액
에 사장님께 팔았습니다."

"난 불법적인 것은 아무것도 하지 않았네."

"맞습니다. 그렇지만 사장님은 제 발명으로 돈을 버셨는데, 저
는 성공 못하고 가난한 처지로 남아 있습니다."

"난 자네의 어리석음에 책임이 없네. 사람은 살면서 스스로가
결정한 결과를 그것이 실패한 것이라 할지라도 짊어지고 가야
하는 거야."

"예. 사장님 말씀이 완벽하게 맞습니다. 그런데 저는 오늘 밤
매우 의심쩍은 상황에서 사장님께서 여기 오시기로 한 결정의
결과를 감내하십사고 사장님께 제안합니다. 제 경찰다운 지혜로
압니다만, 20분 뒤 사장님은 특정한 장소에 계셔야 합니다. 사
장님의 계획이 성공하려면 사장님이 거기에 꼭 계셔야 하며, 제
가 방면하지 않으면 사장님께서 거기에 계시지 못합니다."

"도대체 어떻게 자네가 그걸 알지?"

니콜라오는 으스대며 미소를 지었다.

"제 나름의 방법이 있습니다. 현대적인 경찰 기법입니다."

루지아는 경탄하며 자기 애인을 바라보았다. 그녀는 남자가 그
렇게 겉보기에 진지하게 거짓말을 하는 것을 본 적이 없었다.
피펠봄이 가장 인상 깊었다.

"뭘 바라는가? 얼마면 돼?"

그는 물었으며 어조에서는 두려움으로 지쳐 있음이 드러났다.

"돈은 필요 없습니다. 저는 다만 제안할 것이 있습니다."

"뭔데?"

"금방 말씀드린 대로, 저는 경찰에 있는 것보다는 화학자로서 일하는 것이 좋습니다. 그렇지만, 사장님도 아시다시피 현재 경제 상황은 화학자들에게 매우 좋지 않습니다. 일자리를 찾기가 쉽지 않습니다. 사장님께서 제 발명품인 담배 없는 담배와 관련된 특허권에서 얻는 것 절반을 제게 주신다고 승낙하신다면, 저는 사장님을 방면하고 사장님 계획이 실현되도록 도와드리기까지 하겠습니다. 그렇게 우리 둘은 불공평을 공평하게 되돌릴 것입니다."

피펠봄은 아무 말도 하지 않았다. 그의 내부에서 끔찍한 심적 갈등이 일어나고 있음이 뚜렷했다. 산산이 흩어진 욕망들이 그의 마음을 찢었다.

"그런데 저는 아직 더 멋진 것을 제안합니다. 저는 와인 없는 와인에 대해 연구하고……."

"뭐라고?"

피펠봄은 마치 꿈에서 폭탄이 막 터진 것처럼 화들짝 뛰어올랐다.

"와인 없는 와인이라고 했나? 내 열망이야! 나의 요즘 구상이라고!"

그는 얼굴에 긴장된 표정을 나타내며 소리쳤다.

"좋습니다,"

니콜라오는 계속했다,

"저는 거의 성공했습니다. 구상은 담배 없는 담배와 같습니다. 마시는 사람에게 알코올이 들어 있는 것처럼 느끼게 하면서도 알코올 성분 없이 와인의 모든 특성을 지닌 마실 것을 우리가 발명해 봅시다. 따라서 와인을 좋아하지만 건강이나 정신적 명료성에 미치는 영향은 좋아하지 않는 사람들은 과도한 음주의 결과를 두려워하지 않고 기쁨으로 조용히 갈증을 해소할 수 있습니다. 요즘 이 계획을 구현하려는 과일즙이 팔리고는 있지만 성공적이지 않습니다. 현존하는 모든 생산품은 너무 달고 알코올의 인상을 주지 않으며, 그래서 그 사람들에게는 적합하지 않습니다. 우리는 그런 이들을 표적으로 합니다."

"됐어, 됐어, 그 구상을 더 풀지 않아도 돼. 난 그걸 지킬 온갖 방법을 이미 알고 있네. 그런데 실용화에 대해서는 무엇을 해야지?"

"맞습니다. 사장님께서 그 일에 저를 받아 주신다면 -물론 봉급 받는 방식은 말고요- 저는 그 일을 끝맺음할 수 있습니다. 저는 이미 거의 성공했는데, 저의 담배 없는 담배에서 사장님이 보셨듯이 저는 몽상가가 아닙니다. 제 연구를 성공적으로 끝내려면 사장님만 제게 제공할 수 있는 노동 조건이 필요합니다. 그런데 시간은 쏜살같이 지나갑니다. 안타깝게도 귀중한 시기를 잃을지도 모릅니다. 이 문서에 서명해 주신다면, 이 사업은 합의되고 저는 긴급하고도 귀중한 과업에 사장님께서 매진하시도록 바로 풀어 드리겠습니다."

아드리아노 피펠봄은 문서를 읽어 보지도 않고 서명하는 부류의 사람이 아니었다. 그는 꼼꼼히 읽었다. 그 문서는 요하노가 니콜라오의 부탁을 받아 준비한 것이라 필요한 모든 조목이 아주 세세하게 검토되어 있었다. 이번에는 경험이 없어 니콜라오가 기업인만 살찌우게 할 위험이 없었다.

"이 문서를 준비한 이는 허점을 놓치지 않고, 오해가 생길 수 있는 데를 잘 아는군. 내가 보기에 자네는 나하고 처음 엮일 때부터 퍽 듬직했어. 자, 좋아, 서명하겠네. 현실주의자는 꼬리 내릴 때를 알지. 그래도 난 이 일에서 이득을 볼 것 같아. 와인 없는 와인은 내 소중한 구상 중 하나거든."

그렇게 피펠봄 씨는 마침내 거북한 처지에서 벗어났다. 니콜라오도 그랬다. 실직자보다 실제로 더 짜증나는 상황이 어디 있겠는가?

Ĉapitro 20

Ĝeraldo sciis precize, kie pasos la ŝtelinto irante al la aŭto, kie la kunplaninto lin atendas. Pri la resto de la aranĝo multe estis al li neklara, ĉar Johano kaj Elza, en la restoracio, kie li ilin subaŭskultis, parolis pri tiuj punktoj subkomprenante multon jam konatan al ambaŭ. Feliĉe por Ĝeraldo, pri la ĝustaj tempo kaj loko de la transdono ili ne povis paroli alimaniere ol tute precize, ĉar neniu el tiuj detaloj estis antaŭe planitaj.

Irante tien, li estis singarda, aŭ pli ĝuste, li volis esti singarda, kaj li opiniis, ke singarda li estas. Li ja ne povis allasi al si plian fuŝon. Esplorante la ĉirkaŭaĵon, li ĝoje konstatis, ke neniu troviĝas tie. Li iom timis la ĉeeston de policanoj, kiu estus verŝajna, se konsideri, unuflanke, ke oni antaŭ nelonge alsaltis personon ĉi tie, kaj, aliflanke, ke en tiu kastelo troviĝas multvalora objekto, kiun la papo deziras propraokule vidi.

Sed ne sufiĉas imagi, ke oni estas singarda, por sin gardi efike. Homo fuŝema restas fuŝema, eĉ kiam li zorgas atente, ĉar la mensaj kaŭzoj, kiuj igas fuŝema, ne malaperas pro simpla kunstreĉo de la volo sukcesi.

La enkabanaj okazaĵoj, kiujn ni ĵus priskribis, okazis, dum Ĝeraldo faris tiun kontrolon, sed ĉar — fuŝemule — li ne iris ĝis tiu punkto, li kontente deklaris al si, ke lia ĉeesto estas senriska.

Kaj li komencis atendi.

제20장   제랄도의 착각

제랄도는 훔친 사람이 자동차 쪽으로 가면서 어디를 지나는지, 공모자가 어디서 그를 기다리는지 정확히 알았다. 실행의 나머지에 대해서는 대부분 그에게 불분명하였다, 왜냐하면 그가 엿들은 음식점에서 요하노와 엘자가 이미 둘이 잘 알고 있는 많은 것을 말하지 않고도 이해하면서 그 지점들에 대해 이야기했기 때문이다. 제랄도에게 다행인 것이, 세부 사항의 아무것도 미리 짜놓을 수 없었기 때문에 그들이 정확한 전달 시각과 장소에 대하여 아주 정확하게밖에 달리 말할 수 없었다는 사실이다.

거기로 가면서 그는 조심스러웠는데 더 정확히는 조심하려 하였고 그는 조심스러워야 한다고 생각했다. 그는 정말 자신에게 더 실수를 허용할 수 없었다. 주위를 살펴보면서 그는 거기에 아무도 없음을 즐겁게 확인하였다. 한편으로, 얼마 전에 여기서 사람이 습격당했다는 것, 또 한편으로, 교황이 친견하고 싶어 하는 보물이 성 안에 있다는 것을 고려하면, 있을 수도 있는 경찰관의 출동이 좀 두렵기는 했다.

그렇지만 자신을 효율적으로 지키기 위하여 조심한다고 생각하는 것만으로 충분하지 않다. 실수 잘하는 사람은 그 성향이 그대로 남아 있다. 왜냐하면, 단단히 조심한다 하더라도, 성공해야 한다는 욕망만으로 긴장하여, 실수를 유발하는 정신적 원인이 사라지지 않기 때문이다.

우리가 잠깐 전에 기록했던 오두막 안의 일이 제랄도가 확인하는 동안 일어났다. 그러나 실수 잘하는 성향에 따라 그가 그 지

점까지 가지 않았기 때문에 자신의 출현이 위험스럽지 않다고
스스로에게 만족했다. 그는 기다리기 시작했다.

Ĉapitro 21

La grafino estis impresita. Ŝi ne komprenis, kiel la viro, kiu paŝas antaŭ ŝi, sciis ĝuste, kie troviĝas la zono de Sankta Gaspardeto, kaj kiamaniere rapide depreni ĝin.

Ŝi estis ankaŭ scivolema. Kial li ekiris, strange, en tiu direkto, dum la normala elirejo estis tute proksima kaj estus saĝe havi tie kunkulpulon, kiu atendus lin kun aŭto kaj ebligus al li rapidi for sendanĝere?

Fine, ŝi estis timoplena. Ŝi ne vidis bone la ulon, kiun ŝi sekvis, sed ŝi duonvidis sufiĉe por rimarki, ke li estas alta kun fortula korpo, kaj kun la facilmoveco de homo ankoraŭ juna. Se ŝi sin montrus kaj li decidus ŝin bati, ŝi havus neniun ŝancon elsavi sin.

Bedaŭrinde, ŝi ne povis iri al Cipriano, ĉu por ricevi lian helpon, ĉu por peti lin telefoni al la polico, sen forlasi el sia vido la junan ŝteliston. Kion fari do, se ne sekvi ĉi-lastan kiel eble plej diskrete? Feliĉe, ŝi konis la lokon perfekte, kaj la luno, kiu ĵus montriĝis, estis plej bonvena: ŝi ne bezonos la poŝlampon, kiu tro riskus perfidi ŝin.

Li eniris la arbareton. Kaj ŝi post li.

* * *

Enirante la arbareton, la sekretario de s-ro Pipelbom
tute ne imagis, ke iu tie atendas lin:

Ĝeraldo. Ĉi-lasta aŭdis Johanon, antaŭ ol vidi lin,
sed ju pli ties ombra, malpreciza formo iĝis videbla,
des pli li sin demandis, ĉu li ne agis malsaĝe
venante sola. Lia decido agi memstare havis plurajn
motivojn: Adamo parolis al li malestime; li timis
similan reagon de ĉiuj aliaj en la bando; li volis agi
sen informi la ĉefon, por ke la sukceso estu nur lia,
tiel ke nur al li iru ĝenerala admiro; gratulado fare
de ĉiuj, sed speciale de la ĉefo, estis necesa por
forgesigi la multajn antaŭajn fuŝojn.

Sed nun, vidante la impresan korpoaspekton de
Johano, li pli kaj pli dubis pri si. Laŭ lia kompreno,
Elza estis tiu, kiu devis ŝteli la zonon, kaj ŝi devis
pasi sur ĉi tiu vojeto por ĝin transdoni al Johano,
kiu troviĝos en aŭto trans-arbare.

Certa, ke li rilatos nur kun Elza, li opiniis, ke
elmontri pistolon sufiĉos, por ke ŝi time obeu.

Lia plano estis jena: li pruntos de amiko-ŝtelisto
veturilon; iros per ĝi al la ĉe-kastela arbaro kaj
lasos sian aŭton en alia loko ol tiu, kie Johano lasis
sian; kiam la knabino alvenos, li devigos ŝin, per la

pistolo, doni al li la ŝtelaĵon kaj iri kun li al lia veturilo; li igos ŝin ŝofori ĝis soleca loko kampara, tie igos ŝin elaŭtiĝi kaj li mem revenos hejmen kun la multvalora objekto. Ŝi povus nenion fari; ŝtelisto ne povas informi la policon, ke iu alia siavice forprenis perforte la ŝtelaĵon.

Sed nun montriĝis, ke li miskomprenis, aŭ ke la du lastminute ŝanĝis sian planon. Ĉu Johano lasos Ĝeraldon direkti liajn movojn tiel facile? Memorante la manieron, laŭ kiu tiu fortulo hakbatis la manon de Adamo, kiam li liberigis Elzan, Ĝeraldo ne emis rideti.

Sed jen li alvenas. Kion fari? Se li ne intervenos tuj, ili estos du kontraŭ li. Kunstreĉante sian tutan kuraĝon, li ekagis.

"Halt!" li kriis. "Ne faru unu plian paŝon. Ni celas vin per niaj pistoloj. La manojn alten!"

Johano haltis, levis la manojn. En unu el ili li tenis la zonon de Sankta Gaspardeto. Lia menso funkciis fulmrapide. Kiel eblis? Kiu estus povinta perfidi ĉi tiun parton de la plano, kiun nur li, Elza kaj Pipelbom konis? Tiu, kiu ĵus parolis, ja ne estis lia mastro, kvankam ili troviĝis proksime al la loko, kie ĉi-lasta devis ekaperi.

"Ĵetu teren la ŝtelaĵon!" Ĝeraldo kriis. "Kaj paŝu kvin paŝojn malantaŭen!" li aldonis per ankoraŭ pli forta voĉo. Eble li kriis por redoni al si kuraĝon.

Johano obeis.

Nur tiumomente, Ĝeraldo eliris de malantaŭ arbo sur la piedvojeton, kun pistolo direktita al Johano, kiun li konstante rigardis. Li paŝis al la ĵetita zono.

"Kial vi ridetas? Ne imagu, ke vi povas aranĝi ion por vin savi. Mi tenas vin sub mia

konstanta kontrolo," li diris laŭte kaj kolere, ne komprenante, kiel eblas, ke homo en la situacio de Johano kapablas elmontri gajecon. Tiu rideto de Johano ne agis sanige al liaj sentoj de malplivaloro. Pli ol iam ajn li havis la impreson, ke grandulo ridas pri lia senforteco.

Ke Johano ridetis, tion fakte kaŭzis la rekono de difinita bruo: aŭdeble, ie, ne malproksime,

antaŭeniris alta, dika, peza, larĝa estaĵo. Kaj gajiga aperis al Johano la penso, ke Pipelbom devos savi pli efektive, ol savi li deziris.

Alia penso agis senpezige. La sinteno de Ĝeraldo montris, ke tiu, se li mistere eksciis nekoneblajn detalojn de ilia plano, tamen ne sciis ĉion; alie, li ne okazigus la ŝtelon de la ŝtelaĵo tiel proksime al la loko, kie Pipelbom devos interveni.

La industriisto, siaflanke, aŭdis la tro laŭtajn parolojn de Ĝeraldo. Li konis la planon de sia sekretario kaj sciis, ke haltigo fare de pistolhava ŝtelisto ne estis antaŭvidita. Proksimiĝante, li konstatis, kia eta senmuskolulo havis la strangan ideon provi timigi virecan knabon, kiel Johano. Li aŭdis la vortojn pri kunagantoj ("ni celas vin per niaj pistoloj"), sed opiniis, ke se tiuj kunuloj ekzistus envere, ili montrus sin, kio multe pli impresus ol la sola ĉeesto de tiu ĉi pistoltena korpeto.

Se diri la veron, ni devas aldoni, ke alia ideo traflugis lian menson: ke tiu ĉi haltigo tamen eble estis aranĝita de Johano, por ke la savo estu eĉ pli impresa kaj realisma. Sed por ke vi bone komprenu tiun penson lian, necesas ĉi tie klarigi, kio estis, precize, la plano, kaj kion Pipelbom devis rakonti al la grafino post la savo de la zono sanktula. Johano kaj li interkonsentis pri jena — raportota — sinsekvo de la okazaĵoj:

Pipelbom promene alvenas al loko, kie la vojo laŭiras la ĉe-kastelan arbareton. Tie li rimarkas aŭton ĵus haltintan, el kiu eliras du homoj, kiuj interŝanĝas kelkajn vortojn kun kaŝa, ŝtela sinteno. Unu el ili poste residiĝas en la aŭto, dum la alia iras en la arbaron. Trovante ilian agmanieron des pli suspektinda, ĉar la kastelo ne staras malproksime, Pipelbom decidas sekvi tiun, kiu malaperis inter la arbojn. Pro la mallumo, li iumomente ĉesas vidi la ulon, kiun li sekvas, kaj li devojiĝas, perdas multan tempon serĉante la vojon kaj rondirante en la arbaro, kaj, post kiam li fine retrovis la ĝustan piedvojeton, li vidas la ulon reveni tenante objekton, kiun tiu verŝajne ŝtelis el la kastelo. Tiam li intervenas kaj savas la faman zonon de Sankta Gaspardeto.

Tiel prezentiĝis la plano. Pipelbom ne konis la parton pri la «gepolicanoj» Nikolao kaj Lucia,
en kies manojn li falis, dum, malsaĝe decidinte realismi ankaŭ pri la parto de la plano, laŭ kiu li devis perdi la vojon, li troviĝis batalanta ekstervoje kun naturo ne speciale ema bonvenigi altajn, pezajn, larĝajn, dikajn industriistojn.

Kaj nun, li sin demandis, ĉu la sekretario ne elpensis, sen informi lin, la haltigon fare de knabeca malfortulo, kun la celo igi la savon de la zono eĉ pli realeca.

Li do tute ne timis, kiam, proksimiĝante de malantaŭe, li premis siajn pezajn manojn sur la senmuskolajn ŝultrojn de la duonvireto.

La mispensinta Pipelbom tute ne antaŭvidis, ke Ĝeraldo tuj, reage, ekpremos la ellasilon de la pistolo, per kiu li konstante celis al Johano.

제21장　발각된 요하노

백작 부인은 이상한 생각이 들었다. 그녀는 자기 앞에서 걷고 있는 사나이가, 어떻게 성 가르파르데토의 허리띠가 있는 곳을 똑바로 알고, 어떤 방식으로 그것을 재빨리 빼갔는지 영문을 몰랐다.

그녀는 호기심이 강하기도 했다. 정상적인 출구가 아주 가까이 있는데 왜 그가 이상하게 그 방향으로 갔을까, 공범자더러 자동차를 가지고 기다리라 하고 위험 없이 빨리 그 자한테 가는 것이 더 현명할 텐데.

마침내, 그녀는 겁이 더럭 났다. 그녀가 미행 대상자를 잘 보지 못하였으나, 그가 키 크고 탄탄한 몸매를 하고 아직 젊은이의 민첩성을 지니고 있다는 것을 알 만큼 넉넉히 절반은 보았다. 그녀가 자신을 드러냈더라면, 그리고 그가 그녀를 치려고 작심했더라면, 그녀는 위험에서 벗어날 도리가 없었을 것이다.

유감스럽게도, 그녀는, 젊은 도둑을 시야에서 놓치지 않고서는, 지프리아노의 도움을 받으려거나, 경찰에 전화하라고 부탁하려거나, 지프리아노에게 갈 수 없었다. 이 도둑을 최대한 현명하게 뒤따르지 않는다면 도대체 무엇을 해야 할까? 다행히 그녀는 그 장소를 완전히 알았고 마침 떠오른 달이 무척 반가웠다. 그녀에게는 자신을 배신할 위험이 너무 큰 손전등이 필요 없었다.

그는 작은 나무 숲 속으로 들어갔다. 그리고 그녀가 그 뒤를 따랐다.

* * *

작은 나무숲으로 들어가면서, 피펠봄 씨의 비서는 거기서 누군가가 기다리고 있다는 것을 전혀 생각지 못했다. 제랄도였다. 제랄도는 요하노를 보기에 앞서 그가 오는 소리를 들었지만 그의 그늘지고 불분명한 형태가 볼 수 있게 될수록, 그는 홀로 오면서 어리석게 행동하는 게 아닌가 궁금했다. 그가 단독으로 움직이기로 한 데에는 몇 가지 동기가 있었다. 아담이 그에게 창피를 주었고, 한 패거리 안의 다른 모든 이들의 비슷한 반응도 두려웠다. 그는 성공이 오로지 자신의 것이 되고 그렇게 해서 자신에게만 일반적인 칭찬이 쏠리도록, 두목에게 보고하지 않고 행동하고 싶었다. 모든 이, 특히 두목의 축하는 전에 저지른 여러 번의 실수를 잊게 하는데 필요했다.

그러나 지금 요하노의 두드러진 체격을 보면서, 그는 점점 자신이 없어졌다. 그가 아는 바로는, 엘자가 허리띠를 훔치는 이였고, 그것을 숲 너머의 차 안에 있는 요하노에게 전해 주려고 이 오솔길을 지나야 했다.

그가 엘자만 상대하게 될 것이 확실하며, 그녀를 접주어 복종케 하는 데는 총을 보이기만 하면 된다고 생각했다. 그의 계획은 이러하였다. 그는 절도 공범자 차를 빌린다, 그 차로 성 부근 숲으로 가서 요하노가 차를 둔 곳과는 다른 곳에 차를 둔다. 엘자가 도착할 때, 훔친 물건을 권총으로 협박하여 내주게 하고 자기 차 쪽으로 데리고 함께 간다. 그 차를 여자에게 운전하게 하여 들판의 한적한 곳으로 가서 내려놓고 그 자신만 보물을 가지고 집으로 되돌아간다. 그녀는 아무것도 못하겠지. 도둑은 훔친 물건을 딴 사람이 빼앗아갔다고 경찰에 신고할 수는 없으니까.

그런데, 그가 오해했거나 계획을 마지막 2분에 바꾸었거나 한 것이 이제 드러났다. 요하노가 자기의 움직임을 제랄도로 하여금 그렇듯 쉽게 알도록 할까? 그 장사가 엘자를 구해 줄 때 아담의 손을 도끼질하듯 후려친 방식이 기억나자, 제랄도는 웃을 기분이 아니었다.

그래도, 그가 현장에 도착한다. 어떻게 해야 할까? 그가 바로 끼어들지 않으면, 상대는 둘이 된다. 자신의 모든 용기를 끌어 모아 그는 행동을 개시했다.

"멈춰!"

그는 소리쳤다.

"한 발짝도 더 가지 마. 우리는 권총으로 널 겨누고 있다. 손들어!"

요하노는 멈추고 손을 들었다. 두 손 중 하나에 성 가스파르데토의 허리띠를 들고 있었다. 그의 머리는 번개처럼 돌아갔다. 어떻게 이럴 수 있을까? 그와 엘자와 피펠봄만 아는 계획의 이 부분을 누가 배신하여 누설할 수 있을까? 방금 나타나 지껄이고 있는 자는 그의 사장이 아니었다. 사장이 나타나야 할 곳 가까이에 그들이 있기는 하지만.

"훔친 것 땅바닥에 던져!"

제랄도는 외쳤다.

"그리고 뒤로 다섯 발자국 물러나!"

그는 더 강한 음성으로 덧붙였다. 아마 그는 자신에게 용기를 북돋으려고 소리치는 듯했다.

요하노는 순종했다.

그 순간에, 제랄도는 내내 감시해 온 요하노에게 권총을 겨눈 채 나무 뒤에서 길로 나왔다. 던져진 허리띠 쪽으로 그가 걸어

갔다,

"왜 웃어? 벗어나려 무슨 짓을 할 수 있다고 상상도 하지 마. 넌 내내 내 손아귀 안에 있으니까."

그는 요하노의 처지에 있는 사람이 즐거운 표정을 보이는 것이 어떻게 가능할지 이해하지 못해 큰 소리로 화를 내며 말했다. 요하노의 그 웃음은 제랄도의 형편없는 감성에 건전하게 작용하지 않았다. 그의 힘없음을 몸집 큰 사람이 비웃고 있다는 인상이 어느 때보다도 강했다.

사실, 요하노가 웃은 것은 명확한 소리가 들려서였다. 어디선가 멀지 않은 데서 키 크고 뚱뚱하고 무게 나가고 어깨 널찍한 존재가 소리를 내며 전진해 오고 있었다. 피펠봄이 바라던 구출 행동보다 훨씬 효과 있게 허리띠를 구출하게 될 것이 틀림없다는 즐거운 생각이 요하노에게 떠올랐다.

딴 생각도 가볍게 일어났다. 제랄도의 행동거지는, 알아낼 수 없는 그들 계획의 상세 부분을 이상하게 알고 있으면서도, 전체를 알고 있지는 못하다는 것을 드러냈다. 그렇지 않다면, 피펠봄이 꼭 끼어들어야 할 장소 가까이서, 도둑 물건을 도둑질하는 짓을 벌일 리가 없다.

제랄도가 너무 크게 말하는 소리가 기업가 쪽에 들렸다. 그는 비서 요하노의 계획을 꿰고 있었고 권총을 든 도둑이 길을 막는 것은 예정돼 있지 않다는 것을 알았다. 접근해 가면서 그는 왜소한 약질 남자가 요하노처럼 사내다운 젊은이에게 겁주려는 생뚱맞은 생각을 하고 있다고 확신했다. 그는 한 패거리에 대하여 한 말을 들었으나("우리는 너를 권총으로 겨누고 있다"), 그 패거리가 정말 있다면, 그들이 모습을 보였을 것이고, 그렇게 하는 것이, 권총 쥔 왜소자의 단신 출현보다 훨씬 위협적이었으리라고 생각했다.

진실을 말하자면, 우리는 그의 마음속에 딴 생각이 꿰뚫고 흐르고 있음을 덧붙여야 한다. 이 강제 멈춤은 보물 구출이 더욱 인상적이고 실감나도록 아마도 요하노가 조치했으리라는 것이었다. 그러나 그의 생각을 당신이 잘 이해하게 하려면, 여기서 정확하게 그 계획이 무엇인지, 거룩한 허리띠를 구한 뒤 피펠봄이 백작 부인에게 무슨 이야기를 해야 하는지, 여기서 설명할 필요가 있다. 요하노와 그는 – 뒤에 보고될 – 사건의 후속편에 대하여 합의돼 있었다.

피펠봄은 성 부근의 작은 숲을 따라 난 길을 산책하듯 걸어 그 장소에 다다른다. 거기서 그는 금방 멈춘 자동차에서 사람 둘이 나와 감추듯 숨기듯 말 몇 마디를 나누는 것을 본다. 둘 가운데 하나가 나중에 차 속에 다시 앉는다. 그 동안 다른 한 사람이 숲으로 간다. 숲이 멀리 있지 않기 때문에 더욱 의심스러운 그들의 행동방식을 보면서 피펠봄은 나무들 사이로 사라진 그 작자를 따라가기로 한다. 어두워서, 그는 몇 번 미행 대상자를 놓치고 길을 잃어, 길을 찾으면서 시간을 많이 허비한다. 숲 속을 맴돌다가 마침내 맞는 보행로를 되찾은 뒤, 성에서 훔쳐 내온 듯 한 물건을 들고 되돌아오는 사내를 본다. 그때 그는 끼어들어 유명한 성 가스파르데토의 허리띠를 구출한다.

그렇게 계획은 표현돼 있었다. 피펠봄은 남녀 경찰관 니콜라오와 루지아에 대해서 알지 못하고 그들의 손아귀에 떨어졌는데, 그러는 동안에도, 그가 길을 잃어야 하는 각본 한 부분의 실연이라고 멍청하게 판단한 뒤, 길에서 벗어나 키 크고 무겁고 넓고 뚱뚱한 기업가를 유달리 반기지 않는 듯 한 자연과 싸우고 있었다.

그리고 이제, 그는, 비서 요하노가, 알려 주지도 않은 채, 허리띠 구출을 더 실감나게 할 목적으로, 애 같은 허약자더러 길을 막게 하도록 머리를 짜내지 않았을까 하고 자문했다.

그는 그래서 뒤에서 가까이 갈 때 겁이 없었고, '반쯤 덜된 사나이'의 근육 없는 어깨를 묵직한 두 손으로 눌렀다.

잘못 생각한 피펠봄은, 제랄도가 바로 반응하여, 요하노를 겨누어 왔던 권총의 방아쇠를 당겨 버리리라고는 전혀 예상하지 못했다.

Ĉapitro 22

Li premis, sed ĉar nenio okazis, li mire ekrigardis la pistolon. Tiu movo estis troa. Johano vidis ĝin, komprenis, ke io fuŝiĝis, alsaltis Ĝeraldon, kaj hakbate al la manradiko, laŭ la metodo jam uzita, kiam li liberigis Elzan, faligis la armilon.

Ke Ĝeraldo ne sukcesis pafi, tion kaŭzis tute simple la fakto, ke, fuŝema kiel kutime, li forgesis formeti la sekurbutonon.

* * *

Dum tiuj okazaĵoj disvolviĝis, la grafino silente, senbrue, proksimiĝis pli kaj pli. Ŝi vidis ĉion, kvankam malprecize, ĉar ne estis sufiĉe da lumo en tiu arbareto, kien Johano ŝin senscie kondukis, por ke ŝi povu ĉion klare observi.

Ŝi subite konstatis, kun ega plezuro, ke post tiu forta, alta, dika, larĝa sinjoro, kiu ĵus admirinde superfortis la haltiginton de la ŝtelisto, aperas du policanoj. Verŝajne la polico eksciis pri la plano forŝteli la zonon de Sankta Gaspardeto fare de du malamikaj bandoj ŝtelistaj, kaj sekvis la malfortan vireton.

Sentante sin helpata de la polico, ŝi ne hezitis interveni. Ŝi direktis la lumon de sia poŝlampo al la fuŝulo, kriante:

"Kion vi imagas? Kio okazas ĉi tie? Ĉu vi opinias, ke senriske oni povas ŝteli miajn trezorȧĵojn?"

Tuj Nikolao metis al Ĝeraldo la mankatenojn, kiujn li alportis por Johano, kun la ideo igi ties areston kiel eble plej realisma por la grafino. Li flustris ion al Lucia, kiu firme ektenis la knabon.

"Sed ankaŭ ĉi tiu estas ŝtelisto," la grafino kriis.

Ŝi volis prilumi per la poŝlampo la vizaĝon de Johano, sed ŝi ne sciis precize, kie li troviĝas − li ĵus diskrete movis sin al aparte malluma loko − kaj antaŭ ol ŝi sukcesis, la lumo trafis, rekte en la vizaĝon, nian karan Pipelbom, kiu nun staris inter Ĝeraldo kaj Johano.

"Ne havu zorgojn, sinjorino, mi tenas lin," diris Nikolao, kiu ĵus alvenis apud la sekretarion.

Sed la grafino nenion plu aŭdis. Ŝi eligis miran ekkrion:

"Adriano! Vi! Estas vi, ĉu ne? Vi ne ŝanĝiĝis dum tiuj longaj jaroj. Apenaŭ dikiĝis. Adriano! Kion vi faras ĉi tie? Ĉu vi estas polica funkciulo aŭ io?"

Li mire rigardis ŝin.

"Mi... sinjorino... mi ne..."

Ŝi komprenis, ke pro la mallumo li ne vidas ŝin, kaj ŝi turnis la poŝlampon al si, tiel ke ŝia vizaĝo iĝu klare videbla.

"Ĉu... ĉu... ĉu..."

Li hezitis. Li ne kuraĝis kredi sin prava. Post tiom da jaroj. Tamen. Ŝi estis ne-plu-juna, sed tiu misturnita nazo, tiu larĝa buŝo, tiu ĉevala vizaĝo...

"Albertina! Vi estas Albertina, ĉu ne?"

"Adriano, karulo mia!"

Ŝi kuris al li.

"Albertina, mia birdeto!" li diris, kaj premis ŝin al sia koro.

* * *

La tuta grupo direktis siajn paŝojn kastelen. Elza, kiu venis malantaŭ Nikolao kaj Lucia – estis ja planite, ke ŝi restos en la ĉirkaŭaĵo, por helpi se necese – aliĝis al ili kaj, post kiam ili alvenis, preparis trinkaĵojn por ĉiuj.

Bonkora, ŝi trinkigis Ĝeraldon, kies manoj restis kaptitaj en la mankatenoj. Li rigardis ŝin nekomprene. Tiu estis virino, kiun liaj amikoj estus mortigontaj, se oni ne respondus jese al iliaj postuloj, kaj tion ŝi perfekte sciis; tamen, ŝi agis bonkore al li.

La voĉo, en li, kiu kriis, ke bonkoreco ĉiam estas forĵetinda signo de malforteco, pli kaj pli devis silenti kaj lasi la lokon al tiu, kiu kantis, ke bonkoreco estas die agrabla por tiu, kiu ricevas ĝin. Liaj sentoj estis tiel miksitaj, ke li emis plori. Feliĉe – ĉar lia memestimo, kiom malmulte da ĝi li havis, tian baton ne elportus – li sukcesis mastri sin.

Sed la rapidajn ŝanĝojn de esprimo, kiujn montris la vizaĝo de Ĝeraldo, neniu rimarkis. Ne tio ja interesis la grupon. Ĝi provis kompreni ion el la paroloj, kiujn Pipelbom kaj la grafino interŝanĝis inter si. Nikolao estis tiu, kiu decidis ilin interrompi, ne tre ĝentile eble, sed pro troa scivolemo.

"Pardonu, se mi estas maldiskreta, sed ŝajnas, ke s-ro Pipelbom kaj vi, grafina moŝto, konis unu la alian antaŭe. Ĉu ni povus scii iomete pri tio?"

Nek ŝi nek li sentis la demandon maldiskreta. Kiam oni feliĉas, oni dezirus, ke la tuta mondo partoprenu en la feliĉo kaj parolu pri ĝi. Plej bonhumore do ŝi respondis:

"Kompreneble, sinjoro policano, kompreneble."

"Ni vizitadis la saman lernejon," klarigis Pipelbom, kun okuloj reveme turnitaj al delonge pasinta tempo.

"Jes. Ni amis unu la alian tre forte, kiam ni estis dekkvin- aŭ dekses-jaraj," ŝi aldonis.

"Ambaŭ estis malriĉaj tiutempe, el malriĉaj familioj. Ĉu vi memoras, Albertina, la straton, kie ni vivis? Ĉu vi memoras Pontostraton?"

"Kompreneble mi memoras, Adriano. Kia terura bando ni estis! Kiajn terurajn ludojn ni tie ludis! Kiom ni ridis!"

"Vi tiam ne estis grafino. Mi neniam suspektis, ke grafino Montokalva estas vi."

"Kompreneble. Kiel vi povus scii?"

"Mi neniam edziĝis, ĉar mi neniam trovis virinon kompareblan al mia kara, kara, kara Albertina."

"Sed mi edziniĝis. Dufoje. Lastfoje al grafo Montokalva. Kompreneble vi ne povis scii, ke tiu grafino estas mi. Kiam al mi edziĝis tiu karmemora Paŭlo-Alano, la grafo, ni decidis ne diskonigi la fakton. Ni volis vivi intiman vivon, kaj nur kelkaj tre proksimaj familianoj kaj amikoj eksciis pri nia geedziĝo. Li estis bonulo, kaj mi ŝatis lin. Ŝatis, ne amis. Mi krome havis multajn amantojn. Ilin ŝatis aŭ duonŝatis, sed neniam amis per amo. Neniam viro plaĉis al mi same forte, kiel vi, Adriano, kiam ni estis junaj."

"Kompatinda Albertina! Estis suferige, ĉu ne?, vivi kun viroj apenaŭ amataj."

"Nu, nu..."

"Kial vi ne provis reveni al mi, eĉ se nur kiel

malnova amikino, por babili pri la tempoj pasintaj?"

"Mi ne scias. Mi aŭdis, ke vi fariĝis riĉa industriisto. Mi havis neniun rilaton kun la mondo industria, ekonomia, ktp. Mia edzo malestimis ĝin, kaj mi timas, ke ankaŭ mi. Pri tio mi nun hontas. Ĉu vi pardonos min?"

"Albertina!"

"Krome mi ne dubis pri tio, ke vi havas belan edzinon kaj aron da infanoj. Kiel mi povus enmiksiĝi en geedzan vivon, eĉ de malnova amiko! Ĉu ne ĉiuj potencaj industriistoj havas edzinon kaj gefilojn? Oni ne imagas riĉan industriiston senfamilia."

"Jes. Mi komprenas. Ĉiaokaze, kiel diable ni estus povintaj renkonti unu la alian? Ni vivis en du apartaj mondoj, ĉu ne?"

"Prave. Ni vivis en du apartaj mondoj."

Ambaŭ samsekunde eligis profundan, sentoplenan elspiron.

Adriano Pipelbom direktis al la grafino rigardon rektan kaj decideman.

"Albertina, ĉu vi konsentos edziniĝi al mi?"

"Adriano! Kiel mirinde! Mia revo realiĝas! Kompreneble mi konsentas."

Sekvis silenta momento.

"Eĉ se vi ne estus savinta la zonon de Sankta

Gaspardeto, mi konsentus. Mi ĉiam amis nur vin, Adriano."

"Ĉu vere?" li demandis, pensante, ke nenecese li lasis tiom da bestetoj laŭkuri liajn krurojn, tiom da akvoplena herbo malsekigi liajn piedojn, tiom da neutila, maltrankvila atendado senigi lian koron je paco.

"Sed tamen, ege plaĉas al mi, ke vi savis tiun mian trezoron," ŝi aldonis. "Montru ĝin al mi, ĉu vi bonvolas? Ke mi ĵetu al ĝi amoplenan, admiran rigardon. De nun, ĉiam ĝi pensigos min pri vi."

Nikolao transdonis la objekton.

La grafino rigardis ĝin, komence ame, sed kun pli kaj pli forta kunstreĉo de la atento.

"Sed... sed... sed ĉi tio ne estas la sankta zono! Kio okazis? Kie ĝi estas?"

Ŝi rondrigardis la grupon. Ĉiuj aspektis kvazaŭ trafite de fulmo.

제22장 백만장자와 백작 부인의 만남

그는 방아쇠를 당겼지만, 아무 일도 일어나지 않아, 놀라서 권총을 살폈다. 그 동작이 너무 과했다. 요하노가 그것을 보고 뭔가 잘못된 것을 알아채, 제랄도를 기습했다. 그가 엘자를 구해 낼 때 이미 쓴 방법대로 손목을 후려쳐 무기를 떨구게 했다.
제랄도가 발사에 성공하지 못한 것은, 평소 실수 잘하는 버릇이 있는 그가 잠금세 풀기를 잊었다는, 아주 단순한 사실이 원인이었다.

* * *

이 사건이 전개되는 동안, 백작 부인은 조용히, 소리 없이 점점 접근해 오고 있었다. 요하노가 자신도 모르는 사이에 백작 부인을 이끌었던 그 작은 숲에는 그녀가 모든 것을 명확하게 관찰할 수 있도록 빛이 충분하지 않았기 때문에 어렴풋하기는 해도 모든 것을 보았다.
그녀는 도둑을 멈추게 한 사람을 멋지게 제압한 그 힘세고 키 크고, 뚱뚱하고, 어깨 벌어진 신사 뒤에 경찰관 둘이 나타나는 것을 기분 좋게 확인했다. 정말로 경찰은 적대적인 두 절도단의 성 가스파르데토 허리띠 절취 계획을 알고 힘없는 작은 사내를 미행한 듯했다.
경찰의 도움을 받게 될 것 같아, 그녀는 끼어들기를 망설이지 않았다. 그녀는 손전등의 불빛을 실패자에게 비추고 소리쳤다.

"넌 무슨 생각을 한 거야? 여기서 무슨 일이 일어난 거지? 내 보물을 쉽게 훔쳐갈 거라고 생각하나?"

바로 니콜라오가 수갑을 제랄도에게 채웠는데, 그 수갑은 요하노를 위해 가져온 것이며, 그의 체포가 백작 부인에게 최대한 실감나도록 하려는 생각에서였다. 그는 젊은이를 단단히 잡고 있는 루지아한테 무엇이라고 속삭였다.

"그런데 이 사람도 도둑이에요."

백작 부인이 소리쳤다.

그녀는 손전등으로 요하노의 얼굴을 비추어 보고 싶었지만, 그가 어디에 있는지 정확하게 알지 못했다. 그는 즉시 교묘하게 딴 데 어두운 곳으로 움직였다. 그리고 그녀가 성공하기 전에, 불빛은 제랄도와 요하노 사이에 있는 친애하는 우리 피펠봄의 얼굴을 정통으로 비추었다.

"염려 마십시오, 제가 그놈을 붙잡고 있습니다."

금방 비서 요하노 곁으로 온 니콜라오가 말했다.

그러나 백작 부인은 더 듣지 못했다. 그녀는 놀라 소리쳤다.

"아드리아노! 네! 너지? 오랫동안 모습이 변하지 않았네. 좀 살찌기는 했지만. 아드리아노! 여기서 무엇 하고 있어? 경찰 일이나 뭐 그런 것 뭐 하고 있나?"

그는 놀라서 그녀를 바라보았다.

"저는……. 부인……. 저는 아닙니다."

그녀는 어둠 때문에 그가 그녀를 보지 못한다고 여기고, 손전등을 자신 쪽으로 돌려 얼굴이 뚜렷이 보일 수 있게 했다.

"그러니까……. 음……. 음……."

그는 꾸물댔다. 그는 자신의 눈이 옳다고 믿기 어려웠다. 여러 해가 지난 뒤다. 그런데도, 그녀는 이제 젊지는 않았지만, 그 비뚤어진 코, 그 큰 입, 그 말상의 얼굴.

"알베르티나! 너 알베르티나지?"

"아드리아노, 내 소중한 사람!"

그녀는 그에게 달려갔다.

"알베르티나, 내 작은 새!"

그는 품에 그녀를 끌어안고 말했다.

* * *

모두 발걸음을 성 쪽으로 향했다. 니콜라오와 루지아 뒤에서 오고 있는 엘자는 - 필요하면 도우려고 주변에 남아 있도록 원래 계획돼 있었으나 - 일행과 함께 가서 그들이 도착했을 때 마실 것을 마련했다.

친절한 그녀는 수갑 채워진 제랄도에게 마실 수 있게 해 주었다. 그는 이해할 수 없다는 표정으로 그녀를 바라보았다. 그녀는, 그의 친구들의 요청에 누군가가 긍정적으로 대답하지 않았다면, 죽음을 당했을 수도 있던 여자였으며, 그녀는 그 일을 뻔히 알고 있으면서도, 그에게 잘 대해 주었다.

그의 자신의 내부에서, 친절이란 늘 내던져도 될 만한 허약함의 신호라고 외치던 소리가 점점 작아지고, 그 자리를, 친절이란 그것을 받는 사람을 기분 좋게 해 주는 것이라고 노래하는 곳이 되게 했다. 그의 느낌들이 뒤범벅되어 그는 울고 싶어졌다. 다행히 -그의 자존심이 조금이나마 있기에 그 충격을 드러내 보이지 않아 - 그는 자신을 제어할 수 있었다.

그렇지만 제랄도의 얼굴에 나타난 **빠른** 변화를 아무도 알지 못했다. 그것은 사람들의 관심거리가 아니었다. 사람들은 피펠봄과 백작 부인이 서로 나누는 대화에서 뭔가를 알아내려고 했다. 니콜라오는, 정중하지는 않지만, 너무 궁금해서 그들의 말을 중단시키기로 마음먹은 사람이었다.

"제가 무례하다면 죄송합니다만, 피펠봄 씨와 백작 부인께서는 전에 아시던 사이 같은 데요. 저희가 그에 대해서 좀 알아도 되겠습니까?"

그녀도 그도 그 물음이 무례하다고 느끼지 않았다. 사람은 행복할 때, 그 행복에 온 세상이 동참하기를 바라며, 그것에 대하여 말해 주기를 바란다. 아주 기분이 좋아져서 그녀는 대답했다.

"물론입니다, 경찰관님, 물론이지요."

"우리는 같은 학교 다녔습니다."

피펠봄은 오래 전 어린 시절로 돌아가 꿈꾸는 듯 한 눈을 하고 설명했다.

"그래요. 우리는 열다섯이나 열여섯 살 때 서로 열렬히 사랑했답니다."

그녀가 덧붙였다.

"둘은 그 때 가난한 집안 출신이라 가난했습니다. 알베르티나, 우리가 살던 거리 생각 나? 다리거리 기억 나?"

"물론 기억나지, 아드리아노. 우린 얼마나 못 말리게 설치던 패거리였는데! 우리가 거기서 하던 놀이들은 얼마나 재미있었던지! 많이도 웃었지!"

"넌 그때 백작 부인이 아니었어. 난 백작 부인이 너인 줄 전혀 몰랐어."

"그랬겠지. 어떻게 네가 알 수 있었겠어?"

"난 결혼하지 않았어. 내 소중한, 사랑스러운, 귀여운 알베르티나에 견줄 만한 여자를 찾지 못했으니까."

"그런데, 나는 결혼했어. 두 번. 마지막 결혼은 몬토칼바 백작 하고였지. 물론 넌 그 백작 부인이 나라는 걸 알 수 없었지. 고인이 된 파울로-알라노 백작과 결혼할 우리는 그 사실을 널리 알리지 않기로 했어. 우리는 조용히 살기를 원했고, 가까운 몇몇 가족과 친구들만 우리 결혼을 알았지. 그는 착한 사람이었고 나는 그를 좋아했어. 좋아했지 사랑하지는 않았어. 그밖에도 난 애인이 많았고, 그들을 좋아하거나 반쯤 좋아했지만, 애정으로 사랑하지는 않았어. 우리가 어릴 적 너, 아드리아노만큼 강렬하게 마음에 드는 남자는 없었어."

"가엾은 알베르티나! 괴로웠지? 거의 애정이 가지 않는 남자와 산다는 것이."

"그럼, 그럼……."

"옛 애인으로서만이라도 지난날을 이야기하러 나한테 왜 와 보려고 하지 않았어?"

"모르겠어. 돈 번 사업가가 되었다는 소문은 들었지. 난 기업이나 경제 등등의 세계와는 연줄이 없었어. 내 남편이 그 세계를 멸시해서, 나도 그랬던 것 같아. 그 점에 대해서는 이제 부끄러워. 용서할 거지?"

"알베르티나!"

"게다가 난 너한테 예쁜 각사와 줄줄이 아이들이 있을 것이라고 생각했어. 옛 친구라 하더라도 유부남의 삶에 어떻게 섞일 수 있었겠어! 유력한 사업가들은 모두 부인과 자녀들이 있잖아? 부자 사업가가 가족이 없다는 게 상상되지 않지."

"그래. 알 만해. 아무튼, 도대체 어째서 서로 만날 수 없었을까? 우리는 두 개의 딴 세상에서 살았지?"

"맞아. 우린 두 개의 딴 세상에서 살았어."

둘은 같은 순간에 깊고 감회 가득한 숨을 내쉬었다.

아드리아노 피펠봄은 백작 부인을 정면으로 그리고 결심한 듯 바라보았다.

"알베르티나, 나하고 결혼하는 데 찬성할래?"

"아드리아노! 참 놀라워! 내 꿈이 이루어지다니! 물론 찬성해."

침묵의 순간이 이어졌다.

"네가 성 가스파르데토의 허리띠를 구출하지 못했다 하더라도, 난 찬성했을 거야. 난 항상 너만을 사랑했어, 아드리아노."

"정말!"

그 많은 벌레들이 다리에 기어오르게 하고, 그 물기 많은 풀들이 다리를 적시게 하고, 그 많은 무익하고 불안한 기다림이 그의 마음을 편하지 않게 하는 것을 괜히 겪어야 했음을 생각하면서, 그는 물었다.

"그런데, 내 보물을 구출해 주어서 참 좋은데."

그녀는 덧붙였다.

"그걸 내게 보여 줄래? 내가 그 물건에 사랑 가득 찬 경찬의 눈길을 보낼 수 있게. 이제부터 항상 그것은 내게 너를 생각하게 할 거야."

니콜라오가 그 물건을 건네주었다.

백작 부인은 그것을 처음에는 사랑스럽게 보았으나 점점 주의 깊게 집중하여 보았다.

"그런데……. 그런데……. 그런데 이것은 성스러운 허리띠가 아냐! 무슨 일이지? 그 물건 어디 있지?"

그녀는 사람들을 둘러보았다. 모두 벼락을 맞은 듯했다.

Ĉapitro 23

"Hm!"

Tiu, kiu ĵus eligis ĉi-lastan brueton, plej diskretan, staris malantaŭ la grupo, apud pordo.

Neniu estis aŭdinta, kiam li envenis.

"Cipriano! Ĉu ni vekis vin?" la grafino demandis. "Kion vi faras ĉi tie je tiel malfrua horo, meze de la nokto?"

"Mi aŭdis, ke envenas pluraj personoj, via grafina moŝto, kaj mi sentas kiel mian respondecon ne enlasi homojn, kiuj ne rajtus veni ĉi tien. Mi nevole aŭdis la lastajn vortojn, kiujn vi elparolis. Kun via permeso, mi klarigos, ke, se tiu ne estas la vera sankta zono, pri tio respondecas mi."

"Vi, ĉu vere? Kiel, diable, vi permesis al vi..."

"Pardonu min, via grafina moŝto, eĉ se mi faris ion nepardoneblan. Tio estis nur por via bono kaj la bono de la kastelo. Kiam mi aŭdis, ke lia papa moŝto venos ĉi tien por admiri la trezorajon, mi pensis, ke eble ĝia nuna lokiĝo ne estas ideala. Sed, kvankam mi maltrankvilis, mi faris nenion, ĝis oni kaptis mian filinon, misprenante ŝin por via grafina moŝto. Tiam mi opiniis, ke la vivo ĉi tie entenas riskojn kaj ke estus saĝe trovi por ĝi alian, pli sekuran lokon.

Mi kaŝis ĝin en mia apartamento kaj metis alian similan teksaĵon anstataŭ ĝi. La okazaĵoj de ĉi tiu nokto, se mi bone komprenis ilin, montras, ke mi ne estis malprava."

"Vi pravis, Cipriano, vi tute pravis, kaj mi gratulas vin. Nu, Cipriano, ĉu vi aŭdis, ke mi plej hazarde renkontis, en neforgesebla momento, la unuan amon de mia vivo? Jen s-ro Pipelbom, sub kiu vi servos post nelonge, kiam li estos mia edzo."

"Permesu, ke mi prezentu al vi miajn plej varmajn gratulojn, via grafina moŝto, kaj ankaŭ al vi, estimata sinjoro."

Li silentis momenton, sed estis tiel videble, ke li deziris reparoli, ke ĉiuj rigardoj restis turnitaj al li.

"Hm!"

"Jes, Cipriano?"

"Ĉu ĉampanon, via grafina moŝto?"

"Komprenelbe, Cipriano. La plej bonan."

Kaj kun la ĉiamaj solenaj, pezaj paŝoj, li malrapide eliris.

제23장　바꿔치기 한 보물

"흠!"

금방 귀에 미묘한 소리를 낸 이가 문 옆의 사람들 뒤에 서 있었다. 그가 들어왔을 때 아무도 소리를 듣지 못했다.

"지프리아노! 우리 때문에 깨었나요?"

백작 부인이 물었다.

"이렇게 늦은 시각, 한 밤중에 여기서 무엇 하고 있어요?"

"여러 사람이 들어오는 소리를 들었습니다, 마님. 그리고 여기에 들어 올 권리가 없는 사람을 들어오지 못하게 할 제 책임을 느꼈습니다. 저는 본의 아니게 마님께서 하신 마지막 말씀을 들었습니다. 그것이 진짜 성스러운 허리띠가 아니라면 그 책임이 저한테 있다는 것을, 허락하신다면 설명 드리겠습니다."

"정말이에요? 세상에 어떻게 자기가 자기를 허락해요."

"용서하십시오. 마님. 용서할 수 없는 짓을 제가 했더라도요. 그렇게 한 것은 마님을 위해서, 성을 위해서였습니다. 교황께서 그 보물을 찬미하러 오신다는 말을 들었을 때, 저는 그 물건의 현재 위치가 이상적이지 않다고 생각했습니다. 그런데, 저는 제 딸이 마님으로 오인되어 납치될 때까지, 걱정만 하고 아무 것도 하지 못했습니다. 그때 생각건대 이곳 생활은 안전하지 않아 그 물건을 위해 따로 더 안전한 곳을 찾아보는 것이 현명하겠다고 생각했습니다. 저는 그것을 제 아파트에 감추고, 비슷한 딴 것을 그 대신에 놓았습니다. 오늘 밤 일어난 일들은, 제가 잘 알고 있다면, 제가 틀리지 않았다는 걸 보여 주었습니다."

"맞아요. 지프리아노, 전적으로 맞아요, 고마워요. 자, 지프리아노, 내가 아주 우연히 내 생애에 첫 사랑을, 잊을 수 없는 순간에 만났다는 것, 들었어요? 여기 피펠봄 씨가 내 남편이 되면 지프리아노가 머지않아 시중들게 될 분이에요."

"마님과 존경하는 피펠봄 씨에게 제가 열렬히 축하드리는 것을 허락해 주십시오."

그는 잠깐 침묵했으나, 그가 다시 말하고 싶어 하는 듯해 모두 그에게 시선이 쏠렸다.

"흠!"

"그래요, 지프리아노 무슨 말 하려고?"

"마님, 샴페인 어떨까요?"

"물론이지요, 지프리아노. 최상급을 가져와요."

그리고 늘 그러듯 엄숙하고 무거운 발걸음으로 그는 천천히 나갔다.

Ĉapitro 24

Nikolao kaj Lucia geedziĝis.

Johano kaj Elza geedziĝis.

Diana – la knabino en la edziĝ-agentejo, ĉu vi memoras? – ne edziniĝis. Eksciante pri la enamiĝo de Johano al Elza, ŝi sentis grandan senpeziĝon. "Feliĉe, ke li ekamis iun alian," ŝi diris al amikino. "Mi estis preskaŭ kaptita." Se Diana povis edziniĝi, tio povis esti nur al Libereco.

La grafino kaj Adriano Pipelbom geedziĝis. Sed ŝi – je lia grandega ĝojo – decidis konservi la nomon «grafino Montokalva».

Estis aranĝite, ke la paro loĝos en la kastelo, kiun s-ro Pipelbom, kompreneble, taŭge riparigos. Kiam tiu punkto findecidiĝis, la grafino eligis la plej profundan elspiron de senpeziĝo el sia mult-aventura vivo.

La postan tagon ŝi ekbruligis dek kandelojn antaŭ la statuo de Sankta Gaspardeto en preĝejo najbara.

Danke.

제24장   두 쌍의 결혼

니콜라오와 루지아가 결혼했다.

요하노와 엘자가 결혼하였다.

디아나는 - 그 결혼 중매 회사 아가씨, 기억나시는지? - 결혼하지 아니하였다.

엘자에 대한 요하노의 사랑에 대해 알게 되었을 때 그녀는 큰 안도감을 느꼈다. "다행히 그는 다른 사람과 사랑에 빠졌어." 라고 그녀는 친구에게 말했다. "거의 잡힐 뻔 했어." 디아나가 결혼할 수 있다면 그것은 오직 자유에게만 가능했다.

백작 부인과 아드리아노 피펠봄이 결혼하였다. 그렇지만 그녀는 - 아드리아노가 흔쾌히 동의하여서 - 몬토칼바 백작 부인의 칭호를 지니고 있기로 했다.

둘은, 피펠봄이 물론 적절하게 수리할 성에서, 살기로 했다. 그 점이 마침내 결정되었을 때, 백작 부인은 자신의 파란만장한 일생에서 마음 가볍게 가장 깊은 숨을 내쉬었다.

다음 날 그녀는 가까운 성당에서 성 가르파르데토 상 앞에 촛불 열 개를 켰다.

감사합니다.

Ĉapitro 25

Feliĉaj kiel gejunuloj, Adriano kaj ŝi foriris por longa geedziĝa vojaĝo. Amo inter nejunaj homoj fojfoje aperas ridinda. Pri tio ili ne zorgis. Ili sciis, profunde en sia koro, ke multaj gejunuloj fakte dezirus sperti reviviĝon same feliĉigan. Kaj sian bonŝancon ili plej alte taksis.

La tagon post ilia reveno, la grafino telefonis al amikino sia:

"Galina, ĉu?"

"Jes, estas mi. Ĉu vi, Albertina?"

"Jes."

Kiam ŝia edzo mortis antaŭ kvin jaroj, Galina, la fratino de Adriano Pipelbom, ege malfeliĉis, sentante sin senhelpa, senkonsila, sencela. Por plenigi la mankon, ŝi aliĝis, laŭ konsilo de amikoj, al kultura movado por virinoj ne tute junaj, kiu nomiĝas «La Ponto».

Tie ŝi renkontis grafinon Montokalvan, sed nur antaŭ ne tre longe ŝi eksciis, ke tiu impresa – se malbela – kastelulino pasigis sian infanecon ĉe la sama Pontostrato kiel ŝi, en tute malriĉa urboparto. Kaj kun simila miro Albertina eksciis, ke tiu kara, nun preskaŭ sesdekjara, Galina estas la fratino de la knabo, por kiu ŝia koro unuafoje amkantis, antaŭ multaj, multaj jaroj.

"Nu," diris Galina, "kia estas mia frateto? Ĉu bona edzo?"

"Admirinda, Galina. Pli serveman, helpeman, ameman viron oni ne povus trovi. Kaj li kompreneble akceptis pagi ĉiujn necesajn riparojn. Kaj ni loĝos ĉi tie en la kastelo. Mi vere sentas nekredeblan dankemon al vi. Kiel mi povus esprimi al vi, kiom alte mi taksas vian... eee.... vian partoprenon, Galina. Ĉu vi deziras ion, kion mi..."

"Ne, ne. Estis pura amikaĵo fare de mi. Se vi donus ion al mi, mi sentus, kvazaŭ vi pagus la servon. Tio estus terura."

"Vere, mi ne scias, kiel danki vin, Galina. Sed mi ankaŭ pli miras pri tio, kiel vi aranĝis la aferon. Kiel vi faras, por igi lin obei al vi tiel bele? Vi staras super ĉia imageblo, Galina."

"Vi eraras, kara, mi havas nenion specialan. Mi ne obeigas lin. Tute ne. Tio simple ne eblus.

Adriano estas memfarita homo, kaj plu faras mem sian vivon, sendepende, memstare, je ĉiu minuto. Miaj intervenoj devas esti treege delikataj. Mi neniam povas sukcese proponi ion al li. Mi devas trovi la vortojn, kiuj impresas lin, kaj kondukas lin al ago, kvazaŭ la ideon li mem elpensis."

"Ĉiaokaze vi agis tre efike. Mi sentas, ke ni kune estos ege feliĉaj. Vi scias, li vere bezonis edzinon. Kaj necesis, ke tiu edzino estu mi."

"Kompreneble. Tial mi sugestis la aferon al Elza."

"Al Elza? Ĉu vere? Ĉu ŝi rolis en via aranĝo?"

"Ho, jes, iomete, sed estus tro malsimple ĉion rakonti al vi. Mi renkontis ŝin en la hospitalo, kie mi troviĝis vizite al tiu kara Johano, la sekretario de mia frateto... Mi ne vere multe parolis. Ŝi estas tre inteligenta knabino. Ŝi tuj komprenis, ke geedziĝo inter mia frateto kaj vi estus la plej taŭga solvo por ŝiaj gepatroj. Kaj ŝia patro Cipriano havas tiom da imago, kaj tiel ŝatas ludi la rolon de kaŝita destin-direktisto! Ŝi sciis, ke ŝi povas fidi je liaj kapabloj."

"Mi ĝojas, ke mi faris al vi miajn konfidencojn, Galina. Sen vi, mi devus forlasi la kastelon kaj vivi malfeliĉan vivon laborante en terura oficejo aŭ simile. Vi ne povas imagi, kiel timige estas konstati, ke onia mono iom post iom malaperas. Krome, mi vere ĉiam konservis profundan amon al Adriano, eĉ se mi perfidis ĝin dum jardekoj. Mi neniam ripetos ĝin sufiĉe:

dankon, dankon, dankon, dankon, dankon, dankon, dankon kaj dankon, Galina."

"Ne danku, danku, danku, danku, danku, danku,

danku kaj danku min. Mi faris plezure mian devon. Nu, mi devas vin forlasi. Ŝajnas, ke mi aŭdas vizitanton. Estis tre agrable babili kun vi telefone. Ĝis la kunveno de «La Ponto», Albertina! Vi venos, ĉu ne?"

"Kompreneble mi venos. Ĝis baldaŭ!"

Galina turnis sin al la ĵus-enirinto.

제25장   백작 부인의 고백

젊은이들처럼 행복한 아드리아노와 그녀는 긴 신혼여행을 떠났다. 젊지 않은 두 사람 사이의 사랑은 때때로 웃긴다. 그에 대해서 그들은 신경 쓰지 않았다. 그들은 사실 많은 젊은이들이 똑같이 행복한 삶을 다시 경험하고 싶어 한다는 것을 마음 깊이 알고 있었다. 그리고 자신들의 행운을 아주 높게 쳤다.

그들이 돌아온 뒤, 백작 부인은 친구에게 전화했다.

"갈리나 씨인가요?"

"그래, 나야. 너, 알베르티나?"

"맞아요"

5년 전 갈리나의 남편이 죽었을 때, 아드리아노 피펠봄의 누나 갈리나는 도움 받을 데도 없고, 의논 상대도 없고, 목표도 없다고 느끼면서, 매우 슬퍼하였다. 허전함을 덜려고, 그녀는 친구의 조언에 따라, 젊지는 않은 여자들을 위한, '다리'라고 불리는, 문화운동 단체에 가입하였다.

거기서 갈리나는 몬토칼바 백작 부인을 만났으나, 그 인상적인 - 예쁘지는 않아도 - 성의 안주인이 그녀처럼 도시의 빈민 지역에 있는, 같은 '다리거리' 부근에서 어린 시절을 보냈다는 것을 얼마 전에야 알았다. 그리고 알베르티나도, 이제 예순 쯤 되는 갈리나가, 아주 오래 전에 처음 마음속으로 사랑하던 소년의 누나라는 것을 알고, 똑같이 놀랐다.

"그래, 내 동생 어때? 착한 남편이야?"

갈리나가 말했다.

"최고예요. 누님, 보기 드물게 봉사적이고, 잘 도와주고, 다정한 남자랍니다. 필요한 수리비 지출도 다 받아들이지요. 우린 여기 성에서 살아요. 정말 감사해요. 누님, 감사한 마음을 어떻게 표현해야 할지, 애써 주신 것을 얼마로 쳐 드려야 할지 모르겠어요. 제가 해 드릴 수 있는, 어떤 것을……."

"아냐, 아냐. 내가 순수한 우정으로 한 거였어. 네가 무언가 내게 해 준다면, 난 네가 마치 봉사에 대한 대가를 치르는 것처럼 느낄 거야. 그건 영 질색이야."

"참말로 누님, 저는 어떻게 감사해야 할지 몰라요. 그렇지만 일을 어떻게 처리하셨는지에 대해서는 더욱 놀랄 뿐이에요. 어떻게 하셨기에 그가 그리 예쁘게 누님께 순종할까요? 누님, 누님은 상상을 초월하는 위치에 계세요."

"네 생각과는 달라. 나는 특별히 한 것이 없어. 나는 그를 복종케 하지 않아. 전혀 아냐. 그것은 간단히 가능한 일이 아냐. 아드리아노는 제 일은 제가 처리하는 사람이고, 앞으로도 스스로 매순간 의지하지 않고 독립적인 자신의 삶을 영위해 갈 거야. 내가 개입할 때는 아주 세심하게 해야 해. 난 그에게 뭔가를 제안해서 성공한 적이 없어. 난, 그가 스스로 생각해 낸 계획처럼, 그에게 깊은 인상을 주고, 그를 행동으로 이끌 어휘를 찾아야 해."

"어쨌든 누님은 아주 잘 하셨어요. 저는 우리가 함께 무척 행복할 거라고 느껴요. 아시다시피, 정말 그는 아내가 필요해요. 그 아내가 저여야 했어요."

"물론이야. 그 때 난 엘자에게 그 일을 귀띔했어."

"엘자에게요? 정말이에요? 그녀가 누님의 계획에서 역할을 했나요?"

"아, 그렇고말고, 조금은. 그런데 너한테 이야기하자면 너무 복잡하겠어. 내가 내 동생의 비서인 요하노를 보러 간 병원에서 그녀를 만났지. 난 실은 말을 많이 하진 않았어. 퍽 지성적인 아가씨더군. 그녀는 내 동생과 너의 결혼이 그녀의 부모에게 가장 타당한 해결책이 될 수도 있다는 것을 이내 이해했지. 그리고 그녀 아버지 지프리아노가 상상력도 많고, 숨은 방향 지시자 노릇하기를 아주 좋아했다고! 그녀는 요하노의 능력을 신뢰할 수 있다는 것을 알았어."

"저는 제 속내를 누님께 털어 놓을 수 있어서 좋아요, 누님. 누님이 없었으면 성을 떠나 끔찍한 사무실이나 그 비슷한 곳에서 일하면서 불행하게 살았을 거예요. 자신의 돈이 점차 사라지고 있다는 사실을 깨닫는 것이 얼마나 무서운지 상상할 수 없을 겁니다. 그뿐만 아니라, 제가 수십 년 등을 돌리기는 했지만, 저는 진정으로 아드리아노에게 대한 깊은 사랑을 늘 지녀왔어요. 저는 고마움을 늘 되풀이해서 말하더라도 충분하지 않을 거예요. 고마워요, 고마워요, 고마워요, 고마워요, 고마워요, 고마워요, 고마워요. 고마워요, 누님."

"천만에, 천만에, 천만에, 천만에, 천만에, 천만에, 천만에, 천만에. 내 할 일을 기꺼이 했을 뿐이야. 자, 통화를 끝내야겠어. 손님이 온 것 같아. 통화 즐거웠어. '다리'모임에서 만날 때까지 안녕, 알베르티나! 올 거지?"

"물론 갈 거예요. 곧 뵙겠어요!"

갈리나는 방금 들어온 사람 쪽으로 몸을 돌렸다.

Ĉapitro 26

"Ha, Adriano! Jen vi venas saluti la fratinon kaj rakonti al ŝi pri via tute freŝa geedza vivo!
Ĉu vi feliĉas?"
"Feliĉas? Kiel malfortajn vortojn vi kelkfoje uzas, Galina! Feliĉas! Se vi nur povus imagi!
Mi... mi... mi... Mi ne trovas la vorton, sed, diable, aŭ pli ĝuste, die!, mi... eee... mi feliĉas. Mi sentas min... Nu, ĉu vi ne rimarkis, kiom pli bela la mondo estas jam de kelkaj semajnoj? Mi flugas en la ĉielo. Min portas aero malpeza. Naturo min levas ambrake. Mi estas birdeto, kiun bela mateno kantigas. Ĉu vi ne vidas, kiel granda mia koro estas? Ne, ne. Ne timu. Mi ne malsanas. Nur tio, ke ĝi plenplenas je kantoj kaj ridoj kaj dancoj kaj muziko kaj... kaj... kaj tiel plu," li finis, iom bedaŭre sentante, ke lia vortoimago lin perfidas, kaj tro falas de alte surteren.
Kun vizaĝo radianta de ĝojo, li dancpaŝis al meblo, el kiu li prenis du glasojn, kiujn li plenigis per dolĉa vino antaŭmanĝa. Li transdonis unu al sia fratino. Ŝi rigardis lin mire. Lia korpo estis same alta, peza, dika kiel antaŭe, sed li paŝis malpeze kvazaŭ nova Niĵinskij.

"Galina, Galina, mia fratino, mi volas danki vin. Se vi scius, de kiom longe mi rigardas admire kaj dezire al tiu kastelo, ĉiufoje, kiam mi tie pasas! Se vi scius! Nur pensi, ke nun ĝi estas mia... Dankon, Galina, dankegon al vi!"

"Ne danku min, frateto. Mi nur faris mian devon, bonfratine."

"Tamen, Galina, tamen..."

Kaj ili tintigis la glasojn.

제26장 백만장자의 고백

"하, 아드리아노! 누나한테 인사하고 알베르티나에게 네 산뜻한 신혼생활 이야기를 해 주려고 왔구나! 행복하지?"

"행복하냐고? 누나는 어떻게 그런 약한 말을 가끔 하는지 몰라. 행복해! 누나는 상상밖에 못하겠지만 나는……. 나는……. 나는……. 나는……. 무슨 말을 해야 할지 모르겠는데, 참나! 그보다 정확히는 신의 뜻대로야! 나는……. 에……. 행복해. 내가 나를 느껴. 몇 주일 전부터 세상이 얼마나 더 아름다워졌는지 누나는 알지 못했지? 나는 하늘을 날고 있어. 가벼운 공기가 날 태우고 있어. 자연이 나를 사랑의 팔로 들어 올리고 있어. 난 아름다운 아침이 노래를 부르게 하는 작은 새야. 내 심장이 얼마나 큰지 못 보았지? 아냐, 아냐. 걱정 마. 난 말짱해. 노래와 웃음과 춤과 음악과 그리고……. 그리고 등등으로 심장이 가득 차 있어."

그는 언어 상상력이 그를 배반하여 높은 데서 지상으로 너무 떨어지고 있음을 안타깝게 느끼며 말을 끝냈다.

기쁨으로 빛나는 얼굴을 하고, 그는 가구 쪽으로 춤추듯 걸어가서 달콤한 식전 와인을 채운 유리잔 두 개를 가져왔다. 잔 하나를 누나에게 건넸다. 그녀는 동생을 놀란 듯 바라보았다. 그의 몸은 전처럼 키 크고, 몸무게 많이 나가고, 뚱뚱하지만, 새로운 니진스키처럼 날렵하게 걸었다.

"누나, 누나, 우리 누나, 고맙다고 말하고 싶어. 내가 늘 지나갈 때마다 얼마나 오래 그 성을 경탄하면서 바라보았는가를 누나가 안다면! 안다면! 그것이 이제 내 것이라는 생각만으로도……. 고마워, 누나, 정말 고마워!"

"천만에, 동생. 난 해야 할 일을 했을 뿐이야, 동기간의 정으로."

"그래도, 누나, 그래도."

그리고 그들은 유리잔을 부딪쳤다. (끝)

Claude PIRON

estas svisa civitano, kies infaneco disvolviĝis en Belgio. Li studis en la Interpretista Lernejo de Geneva Universitato, kaj fariĝis tradukisto/protokolisto ĉe UN (Novjorko), kaj poste ĉe Monda Organizo pri Sano (Genevo). Studinte psikologion, li forlasis la tradukan profesion kaj trejnigis kiel psikanalizisto kaj psikoterapeŭto. Dum dek jaroj post lia eksiĝo el M.O.S., tiu institucio tamen pludungis lin ĉiujare por kelksemajnaj misioj jen en Afriko, jen en la Pacifika Insularo, jen – kaj precipe – en Ekstrem-Oriento.

Li havas privatan kabineton psikologian, sed ankaŭ instruas en la Psikologia kaj Edukscienca Faktultato de Ĝeneva Universitato.

Sub la pseŭdonimo Johán Valano, li publikigis poemaron, kanto-kasedojn, detektiv-romanojn kaj kolekton da noveloj. Sub la propra nomo li publikigis kurson de psikologio en esperanto kaj multajn artikolojn, nacilingve aŭ esperante, pri diversaj temoj psikologiaj aŭ lingvaj. Li gvidis kursojn pri psikologio en esperanto en

Internacia Feria Altlernejo (La Chaux-de-Fonds, Svislando) kaj en Someraj Universitataj Kursoj - Liego, Belgio).

Esperanton li instruis en diversaj kadroj, i.a. en UN (Novjorko) kaj en San Franciska Ŝtata Universitato.

작가소개

클로드 피롱(1931-2008)은 스위스사람. 1931년 2월 25일 벨기에의 나뮈르에서 태어나 스위스의 글랑에서 2008년 1월 22일 세상을 떴다.

어린 시절은 벨기에에서 살았다. 제네바대학의 통·번역 학교에서 공부했고 유엔에서 번역가, 기록자가 되었고 나중에 세계보건기구에서 일했다. 심리학을 공부해 번역 직업을 버리고 정신분석학자, 정신 치료사로서 훈련했다. MOS를 그만둔 후 10여 년 동안 그 연구소는 매년 그를 고용해 몇 주간의 사명을 주고 아프리카에, 태평양 군도에, 특히 동아시아 지역에 보냈다. 그는 심리학 개인사무실을 두고 제네바대학에서 심리학과 교육 과학 분야에서 가르쳤다. 요한 발라노(Johan Valano)라는 필명으로 시집, 노래 테이프, 추리 소설, 소설 모음집을 발행했다. 이 작품을 발표할 때도 그 이름을 썼다. 자기 이름으로 에스페란토 심리학 교재를 발행했고, 심리학이나 언어학의 다양한 주제로 많은 기사를 민족어나 에스페란토로 썼고 국제 여름 고등학교와 여름 대학 강좌에서 에스페란토로 심리학 강좌를 지도했다. 여러 곳 즉 유엔, 샌프란시스코 국립대학에서 에스페란토를 가르쳤다.

역자소개

오태영 작가는 1966년 전남 장흥 출생으로 서울 영동고를 졸업하고 한양대 건축학과, 한국방송통신대 법학과, 서울시립대학교 도시 행정대학원(부동산전공)에서 공부하였으며, 서울시청을 비롯하여 구청, 주민센터에서 30여 년의 공직 생활을 명예퇴직하고

제2의 인생을 시인, 작가, 번역가, 진달래 출판사 및 진달래 하우스 대표로 4자녀와 함께 즐겁고 기쁘게 살고 있다.

시집 그리운 노래는 가슴에 품고 외에 번역한 책으로 불가리아 유명 작가 율리안 모데스트의 에스페란토 원작 소설인 바다별(단편 소설집), 사랑과 증오(추리 소설), 꿈의 사냥꾼(단편 소설집), 내 목소리를 잊지 마세요(애정 소설) 살인경고(추리소설), 공원에서의 살인(추리소설), 상어와 함께 춤을(단편 소설집), 수수께끼의 소설(청소년 소설), 고요한 아침(추리 소설), 신비로운 빛(단편 소설집), 인생의 오솔길을 지나(인생 소설), 살인자를 찾지 마라(범죄 소설), 철새(단편 소설집), 브라운 박사는 우리 안에 산다(희곡집) 등이 있고, 에스페란토 직독직해 어린 왕자, 진실의 힘, 게르다가 사라졌다, 에스페란토와 함께 읽는 이방인, 안서 김억과 함께하는 에스페란토 수업, 인생2막 가치와 보람을 찾아, 주안에서 누리는 행복(수필집)이 있다.